無敵のétude《エチュード》シリーズ①

史上最強の韓国語練習帖 超入門編

いきなり読める!書ける!話せる!!

野間秀樹 著

ナツメ社

はじめに

本書『**無敵のétude《エチュード》シリーズ 1 史上最強の韓国語練習帖【超入門編】いきなり 読める！書ける！話せる !!**』は，韓国語の入門のための，**全く新しいスタイルの練習帖**です．

無敵の étude《エチュード》史上最強の韓国語練習帖シリーズの第 1 段階，入門ための本です．本書だけでも学べるのはもちろんのこと，他の本や教室などで学んでおられる方が，自習や復習の練習帖としても併用して使えます．一人でも学習できますし，講座や講義のテキストや副読本，問題集，サブノートのようにも使えます．

本書はご覧の通り，厚くない！ 適切な練習量で達成感を味わいながら学習できます：

達成できる歓びを味わいながら，充実した学びができる

またハングルだけで書いてあって，日本語での説明がほとんどないなどという造りにもなっていません．丁寧に説明してあります：

必要な説明がきちんと日本語で解る

各課末にある「解答と解説編」では, ただ正解をぽんと並べるだけではなく, 独習なさる皆さんが迷わぬように，問題も再度表示し，そこに丁寧に解説を加えています．一々問題のページを参照しなくても，「解答と解説編」だけでも学べるようになっています：

親切無比の解答と解説編で心ゆくまで納得できる

そして本書の特長は，文字と発音を学ぶ**最初の段階から，使える会話表現**

を惜しみなく学ぶというところにあります．ややもすると長くてめげそうな，文字と発音を学び終わってから，ようやく会話，というのが，多くの教材のスタイルです．本書はそんな寂しいことはなし．最初から，いきなり会話を楽しみましょう．それも体系的に把握し，実践的に体験を重ねていけるように構成されています：

文字と発音を学びながら，最初から話せている！

作文や会話の**音声はwebからダウンロード**できるようになっています．

言語教育の多くの現場や書物では「この言語はこうなっているから，これを覚えよ」という方向で進められます．これに対して，本書は，皆さんが知っておられる日本語に，照らし合わせながら，学ぶ仕組みになっています．韓国語を一方的に提起されるだけでなく，日本語からも考えることによって，自ら問いを投げかける，能動的で積極的な学びが楽しめますし，記憶の助けになります．学習が進むに従って，**〈日本語から韓国語へ〉という学習戦略**の底力を感じていただけることでしょう．

本書を作るには，金珍娥《キム・ジナ》先生，朴庾卿《パク・ユギョン》先生，とりわけ高槿旭《コ・グヌク》先生のお力を得ました．先生方は，明治学院大学や上智大学などで実際に学生や市民の方々に韓国語を日々教えておられる方々です．さらに，聞くだけでも嬉しい，リアルで生き生きした音声の録音は，李美賢《イ・ミヒョン》，崔英姫《チェ・ヨンヒ》，李忠均《イ・チュンギュン》，水月《みなつき》優《ゆ》希《き》といった先生方がお骨折りくださいました．本書が皆さんにとってより良いものとなるよう，こうした方々がご尽力くださいました．心よりお礼申し上げます．

この『**無敵のétude《エチュード》シリーズ1 史上最強の韓国語練習帖【超入門編】いきなり 読める！書ける！話せる!!**』が，皆さんの楽しい学習のためにお役に立ちますように．

野間秀樹

目次

＊韓国語圏でも日本語圏でも実は文法家によって文法用語はいろいろ異なっています．本書はどのような文法用語で学んでおられる方も，無理なく学べるように工夫してあります．巻末の便利帖も大いにご利用ください．

本書の使い方

本書は，韓国語をはじめて学ぶ方に向けて，文字と発音の基礎からていねいに解説しています．解説を読み進め，書き込み欄のハングルをなぞったり書き込んだり，読んだりしながら，自然に身につけられる内容になっています．
ダウンロードサービスの音声データと pdf データもぜひご活用ください．

マークの表示について

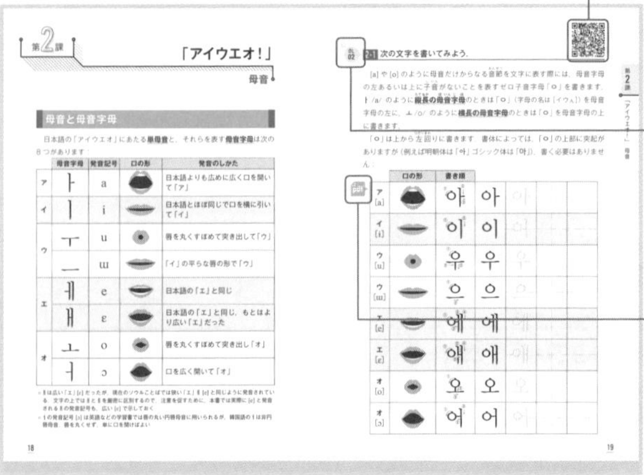

QR コード
スマートフォンなどで読み込みその場ですぐに音声を確認。

DL マーク
本文の解説にそった音声データをダウンロード。

pdf マーク
マークのある項目は書き込み式の練習用の pdf ファイルを用意。

音声データ及び書き込み練習用 pdf データのダウンロードについて

本書の音声データ及び pdf データは，株式会社ナツメ社のウェブサイトにて提供しています．

pdf ファイルをご覧いただくには，アドビシステム社の Adobe Reader または Adobe Acrobat が必要です．お持ちでない方は，アドビシステム社の公式ウェブサイトより Adobe Reader をダウンロードしてください（無償）．

1. パソコンのウェブブラウザでナツメ社ウェブサイト（https://www.natsume.co.jp）を開き，「韓国語練習帖」で検索する．
2. 表示された「史上最強の韓国語練習帖【超入門編】いきなり読める！書ける！話せる！！」の書籍紹介ページ下部の「サンプルデータダウンロード」のボタンをクリックし，音声データの場合はzipファイルを，pdf データの場合は pdf ファイルを，ダウンロードする．
3. 音声データの場合は，zip ファイルを解凍し，目的のmp3ファイルをプレイヤーにて再生する．pdf データの場合は，印刷して使用する．

問題ページ（書き込み式）

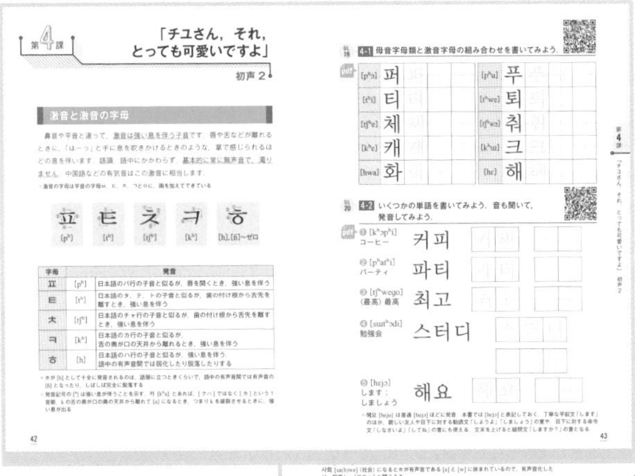

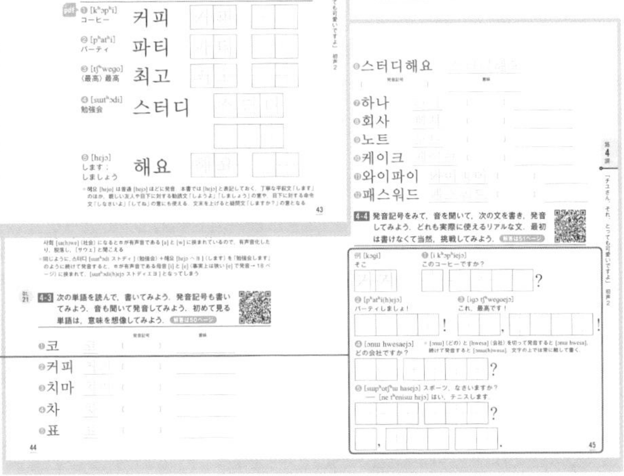

書きながら文字と発音がしっかり覚えられる！
学習段階に応じたちょうどよい大きさの書き込み欄！

すぐに使える会話表現も、一緒に学べる！

解答・解説ページ

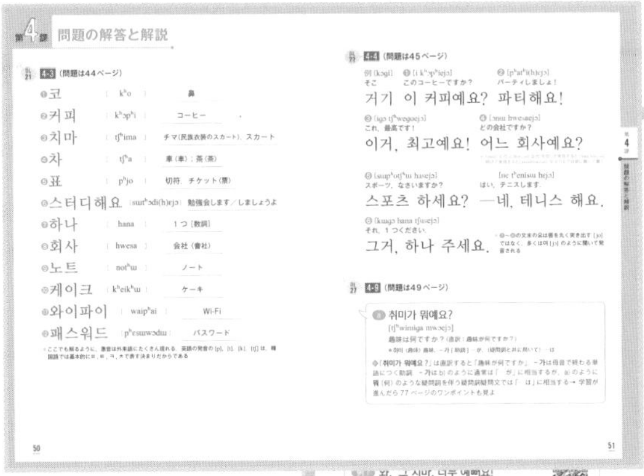

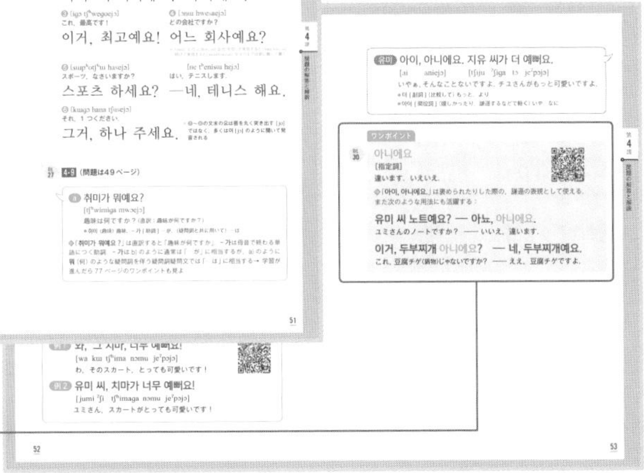

ていねいな解答解説で理解が深まる！
問題を参照しなくても学べる！

ワンポイント解説も充実！発音も確認できる！

反切表

DL 01

子音 ＼ 母音類	ㅏ ア [a]	ㅑ ヤ [ja]	ㅓ 広いオ [ɔ]	ㅕ 広いヨ [jɔ]	ㅗ 狭いオ [o]	ㅛ 狭いヨ [jo]	ㅜ 狭いウ [u]	ㅠ 狭いユ [ju]	ㅡ 狭いウ [ɯ]	ㅣ イ [i]
ㄱ [k]	가 カ [ka]	갸 キャ [kja]	거 コ [kɔ]	겨 キョ [kjɔ]	고 コ [ko]	교 キョ [kjo]	구 ク [ku]	규 キュ [kju]	그 ク [kɯ]	기 キ [ki]
ㄲ [ˀk]	까 カ [ˀka]	꺄 キャ [ˀkja]	꺼 コ [ˀkɔ]	껴 キョ [ˀkjɔ]	꼬 コ [ˀko]	꾜 キョ [ˀkjo]	꾸 ク [ˀku]	뀨 キュ [ˀkju]	끄 ク [ˀkɯ]	끼 キ [ˀki]
ㄴ [n]	나 ナ [na]	냐 ニャ [nja]	너 ノ [nɔ]	녀 ニョ [njɔ]	노 ノ [no]	뇨 ニョ [njo]	누 ヌ [nu]	뉴 ニュ [nju]	느 ヌ [nɯ]	니 ニ [ni]
ㄷ [t]	다 タ [ta]	댜 テャ [tja]	더 ト [tɔ]	뎌 テョ [tjɔ]	도 ト [to]	됴 テョ [tjo]	두 トゥ [tu]	듀 テュ [tju]	드 トゥ [tɯ]	디 ティ [ti]
ㄸ [ˀt]	따 タ [ˀta]	땨 テャ [ˀtja]	떠 ト [ˀtɔ]	뗘 テョ [ˀtjɔ]	또 ト [ˀto]	뚀 テョ [ˀtjo]	뚜 トゥ [ˀtu]	뜌 テュ [ˀtju]	뜨 トゥ [ˀtɯ]	띠 ティ [ˀti]
ㄹ [r]	라 ラ [ra]	랴 リャ [rja]	러 ロ [rɔ]	려 リョ [rjɔ]	로 ロ [ro]	료 リョ [rjo]	루 ル [ru]	류 リュ [rju]	르 ル [rɯ]	리 リ [ri]
ㅁ [m]	마 マ [ma]	먀 ミャ [mja]	머 モ [mɔ]	며 ミョ [mjɔ]	모 モ [mo]	묘 ミョ [mjo]	무 ム [mu]	뮤 ミュ [mju]	므 ム [mɯ]	미 ミ [mi]
ㅂ [p]	바 パ [pa]	뱌 ピャ [pja]	버 ポ [pɔ]	벼 ピョ [pjɔ]	보 ポ [po]	뵤 ピョ [pjo]	부 プ [pu]	뷰 ピュ [pju]	브 プ [pɯ]	비 ピ [pi]
ㅃ [ˀp]	빠 パ [ˀpa]	뺘 ピャ [ˀpja]	뻐 ポ [ˀpɔ]	뼈 ピョ [ˀpjɔ]	뽀 ポ [ˀpo]	뾰 ピョ [ˀpjo]	뿌 プ [ˀpu]	쀼 ピュ [ˀpju]	쁘 プ [ˀpɯ]	삐 ピ [ˀpi]
ㅅ [s/ʃ]	사 サ [sa]	샤 シャ [ʃa]	서 ソ [sɔ]	셔 ショ [ʃɔ]	소 ソ [so]	쇼 ショ [ʃo]	수 ス [su]	슈 シュ [ʃu]	스 ス [sɯ]	시 シ [ʃi]

母音類 / 子音	ㅏ ア [a]	ㅑ ヤ [ja]	ㅓ 広いオ [ɔ]	ㅕ 広いヨ [jɔ]	ㅗ 狭いオ [o]	ㅛ 狭いヨ [jo]	ㅜ 狭いウ [u]	ㅠ 狭いユ [ju]	ㅡ 狭いウ [ɯ]	ㅣ イ [i]
ㅆ [ˀs/ˀʃ]	싸 サ [ˀsa]	쌰 シャ [ˀʃa]	써 ソ [ˀsɔ]	쎠 ショ [ˀʃɔ]	쏘 ソ [ˀso]	쑈 ショ [ˀʃo]	쑤 ス [ˀsu]	쓔 シュ [ˀʃu]	쓰 ス [ˀsɯ]	씨 シ [ˀʃi]
ㅇ 子音なし	아 ア [a]	야 ヤ [ja]	어 オ [ɔ]	여 ヨ [jɔ]	오 オ [o]	요 ヨ [jo]	우 ウ [u]	유 ユ [ju]	으 ウ [ɯ]	이 イ [i]
ㅈ [ʧ]	자 チャ [ʧa]	쟈 チャ [ʧa]	저 チョ [ʧɔ]	져 チョ [ʧɔ]	조 チョ [ʧo]	죠 チョ [ʧo]	주 チュ [ʧu]	쥬 チュ [ʧu]	즈 チュ [ʧɯ]	지 チ [ʧi]
ㅉ [ˀʧ]	짜 チャ [ˀʧa]	쨔 チャ [ˀʧa]	쩌 チョ [ˀʧɔ]	쪄 チョ [ˀʧɔ]	쪼 チョ [ˀʧo]	쬬 チョ [ˀʧo]	쭈 チュ [ˀʧu]	쮸 チュ [ˀʧu]	쯔 チュ [ˀʧɯ]	찌 チ [ˀʧi]
ㅊ [ʧʰ]	차 チャ [ʧʰa]	챠 チャ [ʧʰa]	처 チョ [ʧʰɔ]	쳐 チョ [ʧʰɔ]	초 チョ [ʧʰo]	쵸 チョ [ʧʰo]	추 チュ [ʧʰu]	츄 チュ [ʧʰu]	츠 チュ [ʧʰɯ]	치 チ [ʧʰi]
ㅋ [kʰ]	카 カ [kʰa]	캬 キャ [kʰja]	커 コ [kʰɔ]	켜 キョ [kʰjɔ]	코 コ [kʰo]	쿄 キョ [kʰjo]	쿠 ク [kʰu]	큐 キュ [kʰju]	크 ク [kʰɯ]	키 キ [kʰi]
ㅌ [tʰ]	타 タ [tʰa]	탸 テャ [tʰja]	터 ト [tʰɔ]	텨 テョ [tʰjɔ]	토 ト [tʰo]	툐 テョ [tʰjo]	투 トゥ [tʰu]	튜 テュ [tʰju]	트 トゥ [tʰɯ]	티 ティ [tʰi]
ㅍ [pʰ]	파 パ [pʰa]	퍄 ピャ [pʰja]	퍼 ポ [pʰɔ]	펴 ピョ [pʰjɔ]	포 ポ [pʰo]	표 ピョ [pʰjo]	푸 プ [pʰu]	퓨 ピュ [pʰju]	프 プ [pʰɯ]	피 ピ [pʰi]
ㅎ [h]	하 ハ [ha]	햐 ヒャ [hja]	허 ホ [hɔ]	혀 ヒョ [hjɔ]	호 ホ [ho]	효 ヒョ [hjo]	후 フ [hu]	휴 ヒュ [hju]	흐 フ [hɯ]	히 ヒ [hi]

第1課 韓国語って，どんなことば？そしてハングルって？

韓国語の基礎知識

韓国語とハングル

韓国語は世界に数千ある言語のうちで，その構造が**日本語に最もよく似ている言語**です．

語順が同じ

⑴「今日＋私＋は＋渋谷＋で＋本＋を＋買います」といった，文を組み立てる**語順**が，日本語と同じ．英語や中国語などとは全く異なる．

助詞がある

⑵「夢は，夢が，夢に，夢を，夢も，夢から，夢まで…」のような〈**てにをは**〉，**助詞**があることも，日本語と同じ．おまけに「…は」と「…が」にあたる助詞もある！ こんな言語は世界にもそうそう見当たらない．

固有語
漢字語
外来語

⑶ 単語のグループ＝語彙《ごい》は，もとからあったと考えられている①**固有語**，中国語圏から入ってきた漢字を要素として造った②**漢字語**，英語などからの③**外来語**と，それらを組み合わせた④**混種語**がある．固有語は日本語と発音が似ていない．漢字語と外来語は似ている．語彙の様子も日本語と同じ：

❶固有語　사람《サラム》（人）．하나《ハナ》（ひとつ）．하다《ハダ》（する）…

❷漢字語　도서관《トソグァン》（図書館）．일《イル》（一）．약속《ヤクソク》（約束）…

❸外来語　인터넷《イントネッ》（インターネット）．펜《ペン》（ペン）…

❹混種語　도착하다《トチャッカダ》（到着する）．고속버스《コソクポス》（高速バス）…

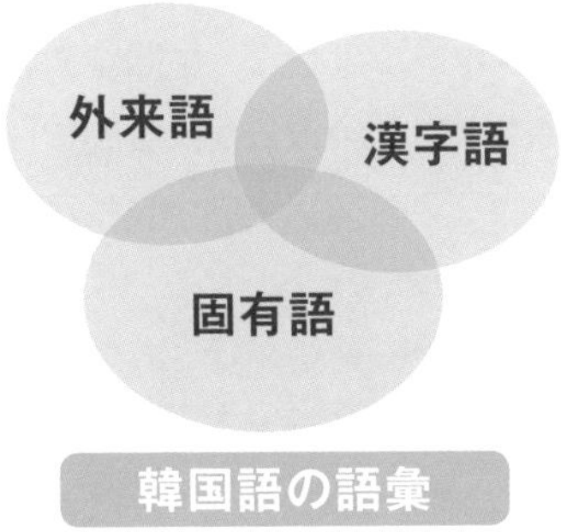

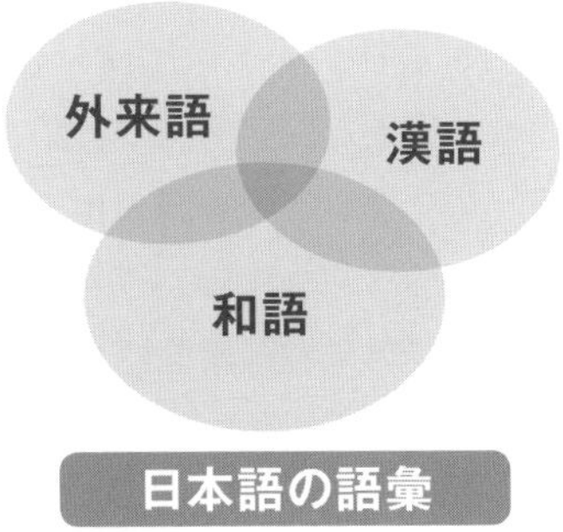

「韓国語」＝「朝鮮語」は言語の名称，「ハングル」は文字体系の名称

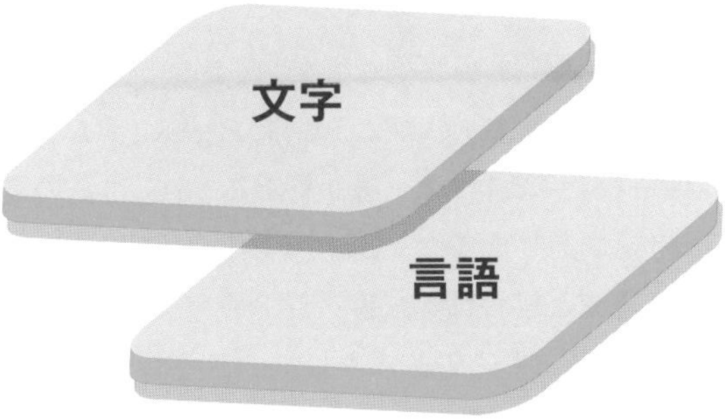

言語と文字は異なります．「韓国語」も「朝鮮語」も、同じ言語です．朝鮮半島のみならず，中国，米国，日本，オーストラリア，そしてウズベキスタンやカザフスタンなど中央アジアにも韓国語の話者が分布しています．

「ハングル」は文字体系の名称です．

韓国語とハングルの来歴

〈話されたことば〉と〈書かれたことば〉は異なる

音の世界に言語音で実現する**〈話されたことば〉**と，光の世界に文字で実現する**〈書かれたことば〉**は，そのありようが互いに異なるもので，別々に発達したり，消滅したりします．

世界の言語は数千にのぼるといわれています．実用に供された文字体系は，数え方にもよりますが，200 ～ 300 種類しかありません．中国語や韓国語のような，固有の文字を持つ言語より，持たない言語の方が，世界には圧倒的に多いのです．ラテン語の世界に成立したラテン文字＝ローマ字は，今日多くの言語の〈書かれたことば〉に用いられています．

朝鮮半島では現在の韓国語＝朝鮮語のもとになる言語が話されていました．つまり古くは〈話されたことば〉だけが用いられ，〈書かれたことば〉はなかったのです．日本列島でも同様で，〈話されたことば〉だけが存在し，〈書かれたことば〉はありませんでした．

朝鮮語圏は二重言語状態だった

朝鮮半島では紀元前後に漢字と漢文が入ってきました．その後徐々に，支配階級は漢字・漢文による〈書かれたことば〉を用いるようになっていきました．つまり〈話されたことば〉と〈書かれたことば〉は別の言語であったのです．年代には諸説がありますが，372 年頃に百済が倭に送ったとされる七支刀《しちしとう》や，414 年建造と言われる，東アジア最大級の石碑，広開土王碑《こうかいどおうひ》（好《こう》太王碑《たいおうひ》）も，漢字・漢文で書いてありました．こうして漢文の文章の中に朝鮮語圏の地名や人名が漢字で書かれるようになりました．

さらに 5-6 世紀頃には，漢字を借りて固有名詞以外の韓国語＝朝鮮語も書くことが行われました．日本語の万葉仮名のような方法が古くから行われたのですが，その伝統は絶えてしまいました．それゆえ，人々の〈話されたことば〉は朝鮮語なのに，支配階級だけが用いる〈書かれたことば〉は漢文という，二重言語状態が続きました．14 世紀末に始まる朝鮮王朝では，官吏登用試験である科挙《かきょ》が大々的に行われましたが，それも全て漢字，漢文によるものでした．

世宗が 15 世紀にハングル＝訓民正音《くんみんせいおん》を創った

15 世紀，朝鮮王朝第 4 代の王・**世宗**《セジョン》（1397-1450）はハングルを創製しました．その文字は**〈訓民正音〉**と呼ばれ，文字の思想やシステムは『訓民正音』という書物で公にされました．〈ハングル〉の名称は近代になって**周時経**《チュ・シギョン》（1876-1914）という学者が名づけ，広く用いられるようになったものです．

左：宮体という書体　右：『訓民正音解例本』の書体
＊いずれも現代語の「사랑《サラン》」（愛）の古語．「想い」ほどの意

朝鮮王朝時代にハングル＝訓民正音による書物がたくさん作られた

訓民正音が創製された直後から，仏教，漢字音の辞書，朝鮮王朝建国をことほぐ頌《しょう》歌《か》，儒学書，民衆を教化する書物，語学書を始め，様々な書物が刊行されました．16 世紀，17 世紀には訓民正音で書かれた小説なども現れました．私的な手紙文などにも用いられ，宮中では筆で書かれる**宮体**《きゅうたい》という訓民正音の美しい書体が成立しました．こうして〈話されたことば〉の世界に，朝鮮語の〈書かれたことば〉が創られていきました．

1894 年には時の学部大臣・**兪吉濬**《ユ・ギルチュン》（1856-1914）が全ての法令，命令にハングルの使用を宣言し，1896 年には漢字を交えず，ハングルだけで書かれた『独立新聞』が刊行されました．

1945 年，日本の統治からの解放を迎え，その後朝鮮半島は南北に分断されましたが，南北いずれにおいてもハングルはほとんどの人々が用いるようになりました．

『龍飛御天歌』《りゅうひぎょてんか》**1447年**

ハングルが原文で漢文の翻訳と注がついている

『独立新聞』1896年

漢字を用いず，全文がハングル表記

ハングルの仕組み

ハングルは表音文字.〈アルファベットで音節文字〉

ローマ字のようにa，b，c…など1字母が1音を表す文字体系を**アルファベット＝単音文字**といいます．ハングルも**ㅅ**がs，**ㅏ**がa，**ㄴ**がnというように，1字母が1音を表す**アルファベット**となっています．ハングルはさらに，1つの音のまとまり＝音節を1つの文字に組み上げる**音節文字**でもあります．仮名も音節文字ですが，「か」や「さ」という文字から音節の内部構造は見えません．**ハングルは文字の形によって音節の内部構造が常に見えています**：

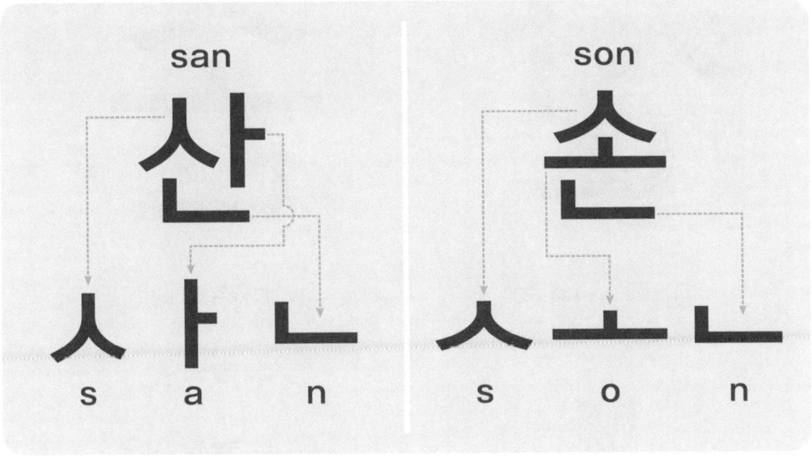

上の「**산**」/san/ や「**손**」/son/ はそれぞれ1文字です．たまたま「**산**」/san/ は「山」の意味で，「**손**」/son/ は「手」という意味の単語になっています．「**산**」も「**손**」も日本語の［サ・ン］や［ソ・ン］のように2拍で発音せず，［サン］や［ソン］のように1拍，1音節で発音します．ハングルはこのように基本的に1文字が1音節になります．

ハングルは古くは縦書きでしたが，20世紀の後半からは横書きが圧倒的な主流になっています．

ハングルの構造

ハングルは〈子《し》音《いん》字《じ》母《ぼ》＋母《ぼ》音《いん》字母＋子音字母〉の組み合わせ

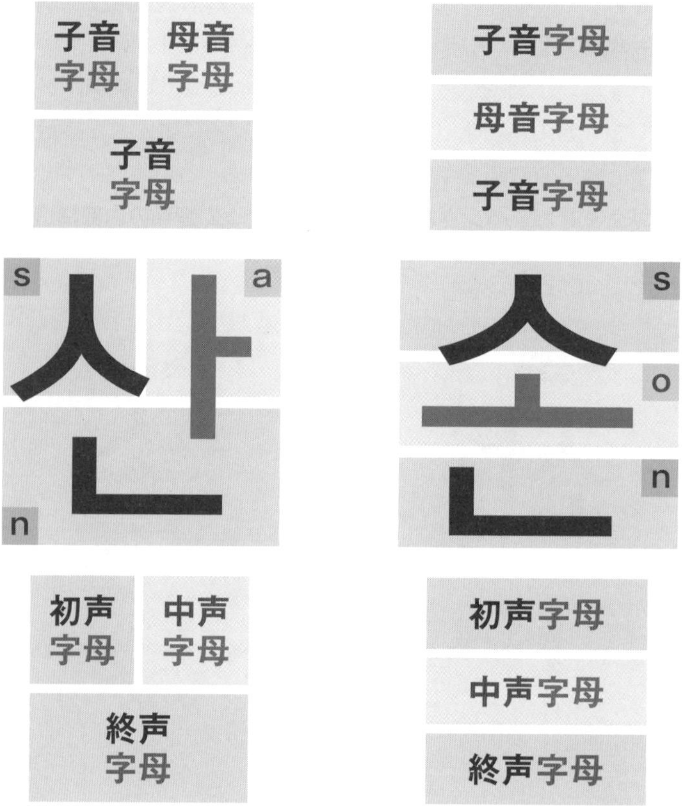

산 /san/ と 손 /son/ でわかるように，ハングルは〈子音字母＋母音字母＋子音字母〉の組み合わせになっています．文字の下部の子音字母がない，사 /sa/ や 소 /so/ といった型の組み合わせもあります．

初声＋中声＋終声

音節の頭の子音を**初声**《しょせい》，母音を**中声**《ちゅうせい》，音節末の子音を**終声**《しゅうせい》と呼びます．これらは15世紀に作られた術語で，今日も広く用いられています．

文字を学ぶには，子音字母と母音字母を覚え，それらの組み合わせを知ればよいのです．

言語音は音の世界，文字は光の世界，常に区別しよう

文字と発音を学ぶ際にはとりわけ，音と文字を区別することが必要です．今，どちらを問題にしているのか，常に注目しましょう．日本語の「学校」や「がっこう」は文字です．実際の発音は [gakkou ガッコウ] ではなく，[gakko: ガッコー] だったり，[gakko ガッコ] だったりします．

言語音は音の世界、文字は光の世界で、互いに別々の世界であることを意識しましょう：

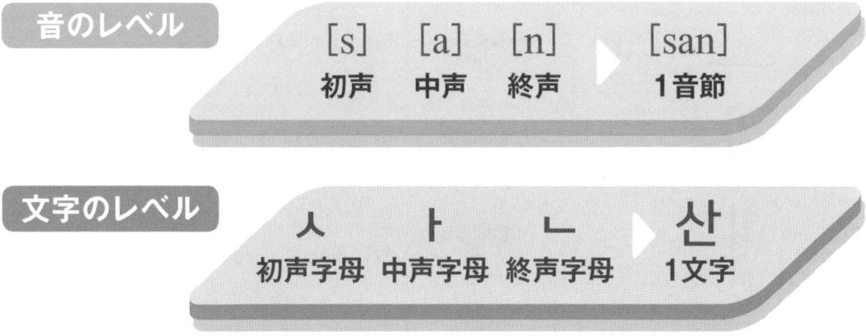

＊終声字母のことを「パッチム」と呼ぶことがある．これは音ではなく，文字のレベルの術語

第2課

「アイウエオ！」

母音

母音と母音字母

日本語の「アイウエオ」にあたる**単母音**と，それらを表す**母音字母**は次の8つがあります：

	母音字母	発音記号	口の形	発音のしかた
ア	ㅏ	a		日本語よりも広めに広く口を開いて「ア」
イ	ㅣ	i		日本語とほぼ同じで口を横に引いて「イ」
ウ	ㅜ	u		唇を丸くすぼめて突き出して「ウ」
	ㅡ	ɯ		「イ」の平らな唇の形で「ウ」
エ	ㅔ	e		日本語の「エ」と同じ
	ㅐ	ɛ		日本語の「エ」と同じ．もとはより広い「エ」だった
オ	ㅗ	o		唇を丸くすぼめて突き出し「オ」
	ㅓ	ɔ		口を広く開いて「オ」

＊ ㅐは広い「エ」[ɛ] だったが，現在のソウルことばでは狭い「エ」ㅔ [e] と同じように発音されている．文字の上ではㅐとㅔを厳密に区別するので，注意を促すために，本書では実際に [e] と発音されるㅐの発音記号も，広い [ɛ] で示しておく

＊ ㅓの発音記号 [ɔ] は英語などの学習書では唇の丸い円唇母音に用いられるが，韓国語のㅓは非円唇母音．唇を丸くせず，単に口を開けばよい

DL 02

2-1 次の文字を書いてみよう．

[a] や [o] のように母音だけからなる音節《おんせつ》を文字に表す際には，母音字母の左あるいは上に子音《しいん》がないことを表すゼロ子音字母「ㅇ」を書きます．ㅏ /a/ のように**縦長《たてなが》の母音字母《ぼいんじぼ》**のときは「ㅇ」（字母の名は［イウん］）を母音字母の左に，ㅗ /o/ のように**横長の母音字母**のときは「ㅇ」を母音字母の上に書きます．

「ㅇ」は上から左回《ひだりまわ》りに書きます．書体によっては，「ㅇ」の上部に突起がありますが（例えば明朝体は「아」ゴシック体は「아」），書く必要はありません：

pdf

	口の形	書き順				
ア [a]		①②③ 아	아	아		
イ [i]		①② 이	이	이		
ウ [u]		①②③ 우	우	우		
ウ [ɯ]		①② 으	으	으		
エ [e]		①②③④ 에	에	에		
エ [ɛ]		①②③④ 애	애	애		
オ [o]		①②③ 오	오	오		
オ [ɔ]		①②③ 어	어	어		

DL 03

母音三角形

韓国語の母音の発音を母音三角形で日本語と対照しながら，確認しましょう．図の左にあるほど舌先が口の前方に寄り，右にあるほど，後ろに寄って発音します．また、図の下にあるほど口を開き，上にあるほど口の開きが狭くなります：

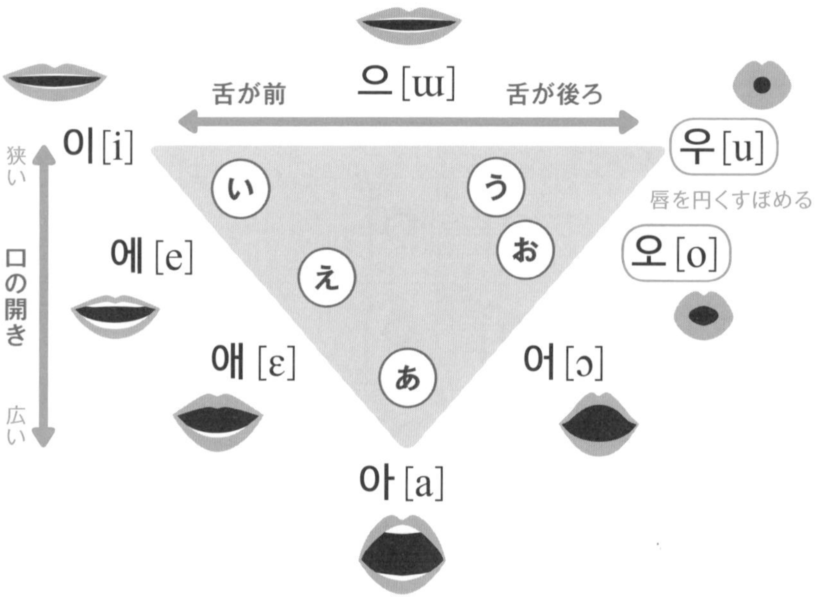

あいうえお（丸囲み）は日本語の単母音です．

図でわかるように、日本語の母音よりも、韓国語の母音のほうが、三角形の外側にあります。日本語の母音よりも、大きめに口を動かす気持ちで発音しましょう．

ヤ行音の半母音

日本語の「ヤ」を発音するときは，舌先がまず「イ」[i] を発音するときのように，上の歯の歯茎のほうに寄ってから，舌先が下がって「ア」[a] に移行していきます．「ィア＝ヤ」のような感じになります．これを発音記号では [ja] と表します．舌が [i] になりかかって，ならずに戻るときの音を [j] で表しているわけです．この発音記号 [j] は「ヨット」と呼ばれています．[j] はいわば母音になり損なった子音で，**半母音**と呼ばれます．つまり**ヤ行音「ヤ」「ユ」「ヨ」は〈半母音** [j] **＋単母音** [a][u][o]〉からなっています．

韓国語にもこうしたヤ行音に相当する音が 6 つあります．ハングルではこれを表すのに，[j] に相当する字母を別には作らず，「ㅏ」[a] →「ㅑ」[ja] のように，単母音の字母に画を 1 画加えて表します．

DL 04

2-2 次の文字を書いてみよう．

単母音を表す字母に 1 画加えて，半母音を伴う字母をつくる

ア [a]	아	▶	ヤ [ja]	야	야		
オ [ɔ]	어	▶	ヨ [jɔ]	여	여		
オ [o]	오	▶	ヨ [jo]	요	요		
ウ [u]	우	▶	ユ [ju]	유	유		
エ [e]	에	▶	イェ [je]	예	예		
エ [ɛ]	애	▶	イェ [jɛ]	얘	얘		

ワ行音の半母音

日本語の「ワ」を発音するときは，まず「ウ」を発音するときのように，唇を少しすぼめながら突き出し，「ウ」になる前に，口を開いて「ア」に移行していきます．いわば「ゥア＝ワ」といった具合です．「ウ」[u] になり損なった子音，ワ行音を作るこの音を，**半母音の** [w] と言います．ワ行音の「ワ」は**〈半母音** [w] **＋単母音** [a]**〉**からなっています．

韓国語にもこうしたワ行音に相当する音が６つあります．ここでも半母音 [w] にあたる字母を別に造らずに，単母音字母に，単母音字母のㅗ [o] と単母音字母のㅜ [u] を小さく添えて表しています．なお，半母音 [w] を伴う音は，東京などの日本語の「ワ」よりさらに唇を丸くすぼめて発音します：

DL 05

2-3 次の文字を書いてみよう．

pdf

単母音					半母音を伴う音		発音しながら３回書く		
ㅗ オ [o]	+	ア [a]	아	▶	ワ [wa]	와	와		
		エ [ɛ]	애	▶	ウェ [wɛ]	왜	왜		
		イ [i]	이	▶	ウェ [we]	외	외		

単母音					半母音を伴う音		発音しながら３回書く		
ㅜ ウ [u]	+	オ [ɔ]	어	▶	ウォ [wɔ]	워	워		
		エ [e]	에	▶	ウェ [we]	웨	웨		
		イ [i]	이	▶	ウィ [wi]	위	위		

ㅡ [ɯ] と ㅣ [i] の組み合わせの二重母音

ㅡ [ɯ ウ] と ㅣ [i イ] を組み合わせ，一息に 1 音節で発音する二重母音ㅢ [ɯi ウィ] があります．唇の平らな [ɯ ウ] のまま唇を動かさず，舌だけを「ウイ」と発音します：

DL 06

2-4 次の文字を書いてみよう.

pdf

ウィ [ɯi]	의 ①②③	의		

この文字의は，現れる位置によって，３通りに区別して発音されます：

의 の発音

- ①語頭で　의외 [ɯi:we]〈意外〉（意外） → **ウイ** [ɯi]
- ②「…の」の意味で　아이의 우유 [aie uju]〈- 牛乳〉（子どもの牛乳） → **エ** [e]
- ③語頭以外で　예의 [jei]〈禮儀〉（礼儀） → **イ** [i]

韓国語の母音はいくつある？

以上見たように，韓国語の単母音８つと，ヤ行音６つ，ワ行音６つ，二重母音ㅢ [ウィ] は，文字の上では全て母音字母の位置に書かれています．そこでこれらを全て「母音」と呼び，「韓国語には母音が 21 個ある」などとしたり，字母「ㅏ ㅑ ㅓ ㅕ ㅗ ㅛ ㅜ ㅠ ㅡ ㅣ」を数えて「母音は 10 個」などとする本が少なくありません．しかしそれらは音のレベルと文字のレベルの混同と言わざるをえません．音のレベルにおける単母音は８つ（音の上では事実上７つ→ p.18），また半母音自体はどこまでも母音ではなく，子音の一種です．

DL 07

2-5 音を聞きながら，母音だけからなる音節を，ハングルで書いてみよう．ゼロ子音字母「ㅇ」も忘れずに． 解答は28ページ

① [a]		
② [i]		
③ [u]		
④ [ɯ]		
⑤ [e]		
⑥ [ɛ]		
⑦ [o]		
⑧ [ɔ]		

DL 08

2-6 音を聞きながら，ここまで学んだ 21 通りの文字を書いてみよう． 解答は28ページ

① [a]	아	
② [ɔ]		
③ [u]		
④ [e]	에	
⑤ [i]		
⑥ [ɛ]		
⑦ [o]		
⑧ [ja]		
⑨ [jɔ]		
⑩ [ju]		
⑪ [je]		
⑫ [wi]		
⑬ [ɯi]		
⑭ [jo]		
⑮ [wa]		
⑯ [wɔ]		
⑰ [ɯ]		
⑱ [we]		
⑲ [we]	외	
⑳ [wɛ]		
㉑ [jɛ]		

DL 09

2-7 いくつかの単語を書いてみよう．また音も聞いて，発音してみよう．

pdf

❶ [ai] こども（書きことば的） 아이

❷ [ɛ] こども（話しことば的） 애

❸ [uju] 牛乳 우유

❹ [wa] わぁ（間投詞：驚き） 와

❺ [oi] きゅうり 오이

❻ [wi] 上 위

❼ [ɔ] あー（間投詞：納得） 어

❽ [wɛjɔ] なぜですか 왜요?

＊一般には最後の요 [jo] を丸く尖らせずに開けて，[wejɔ] のように発音されることが多い

DL 10

2-8 次の単語を読んでみよう．発音記号も書いてみよう．また意味が解るものは，あるだろうか．音も聞いて，確認し，何度か発音してみよう． 解答は28ページ

❶ 애	❷ 우유	❸ 의외	❹ 오이	❺ 아이
発音記号 [ ]	[ ]	[ ]	[ ]	[ ]
意味 ____	____	____	____	____
❻ 왜요?	❼ 예의	❽ 와요	❾ 위	❿ 여유
[ ]	[ ]	[ ]	[ ]	[ ]
____	____	____	____	____

DL 11

2-9 次の単語を書いてみよう．音を聞いて，書き取ることにも，挑戦してみよう．1 度でできないのは当然，何度もやってみよう．また発音もしてみよう．

＊〈 〉内は漢字でも書ける漢字語を，漢字で表記したもの．固有語や外来語は漢字で書けない． 解答は29ページ

❶ [ai]
こども
（書きことば的）

❷ [a]
あ
（間投詞：気づき）

❸ [ɛ]
こども
（話しことば的）

❹ [ɔ]
あー
（間投詞：納得）

❺ [o]
おお
（間投詞：感嘆）

❻ [wa]
わぁ
（間投詞：驚き）

❼ [i]
二〈二〉

❽ [ɯii]
意義〈意義〉

❾ [oi]
きゅうり

❿ [i uju]
この牛乳〈− 牛乳〉

＊「この」と「牛乳」の間は多くは続けて発音されるが，書くときはスペースを入れる

母音字母類 21 種のまとめ

	あ行	口の形		や行	二重母音	わ行	
ア	ㅏ [a]		広く開く「ア」	ㅑ [ja ヤ]		ㅘ [wa ワ]	
イ	ㅣ [i]		横に引いて「イ」			ㅚ [we ウェ]	ㅟ [wi ウィ]
ウ	ㅜ [u]		唇を丸く尖らせて「ウ」	ㅠ [ju ユ]			
ウ	ㅡ [ɯ]		「イ」の平らな唇の形で「ウ」		ㅢ [ɯi ウィ]		
エ	ㅔ [e]		狭いエ	ㅖ [je イェ]			ㅞ [we ウェ]
エ	ㅐ [ɛ]		広いエ	ㅒ [jɛ イェ]		ㅙ [wɛ ウェ]	
オ	ㅗ [o]		唇を丸く尖らせる「オ」	ㅛ [jo ヨ]			
オ	ㅓ [ɔ]		広い「オ」	ㅕ [jɔ ヨ]			ㅝ [wɔ ウォ]

＊ソウルことばでは，「広いエ」ㅐ [ɛ] は「狭いエ」ㅔ [e] のように発音される

＊従ってㅙ，ㅞ，ㅚは全て同じく [we] と発音．ただし文字の上では厳密に区別して書き分ける

＊文末に来る요 [jo] は丸く尖らせず，여 [jɔ] に近く開いて発音されることが多い．本書ではこの発音を [jɔ] と表記する

＊第 3 課以降で学ぶが，ㅖ [je] は直前に子音が結合すると，[e] と発音される．例：계 [ke]

＊第 3 課以降で学ぶが，ㅢ [ɯi] は直前に子音が結合すると，[i] と発音される．例：희 [hi]

第2課 問題の解答と解説

DL 07 **2-5** （問題は24ページ）

❶ [a]	❷ [i]	❸ [u]	❹ [ɯ]	❺ [e]	❻ [ɛ]	❼ [o]	❽ [ɔ]
아	이	우	으	에	애	오	어

DL 08 **2-6** （問題は24ページ）

❶ [a]	아	❽ [ja]	야	⓯ [wa]	와
❷ [ɔ]	어	❾ [jɔ]	여	⓰ [wɔ]	워
❸ [u]	우	❿ [ju]	유	⓱ [ɯ]	으
❹ [e]	에	⓫ [je]	예	⓲ [we]	웨
❺ [i]	이	⓬ [wi]	위	⓳ [we]	외
❻ [ɛ]	애	⓭ [ɯi]	의	⓴ [wɛ]	왜
❼ [o]	오	⓮ [jo]	요	㉑ [jɛ]	얘

DL 10 **2-8** （問題は26ページ）

❶애 [ɛ] こども（話しことば的）

❷우유 [uju] 牛乳

❸의외 [ɯiwe] 意外〈意外〉

❹오이 [oi] きゅうり

❺아이 [ai] こども（書きことば的）

⑥왜요?	⑦예의	⑧와요	⑨위	⑩여유
[wɛjo~wejɔ]	[jei]	[wajo~wajɔ]	[wi]	[jɔju]
なぜですか	礼儀〈禮儀〉	来ます	上	余裕〈餘裕〉

DL 11

2-9 （問題は26ページ）

❶ [ai]
こども
（書きことば的）
아이

❷ [a]
あ
（間投詞：気づき）
아

❸ [ɛ]
こども
（話しことば的）
애

❹ [ɔ]
あー
（間投詞：納得）
어

❺ [o]
おお
（間投詞：感嘆）
오

❻ [wa]
わぁ
（間投詞：驚き）
와

❼ [i]
二
이

❽ [ɯii]
意義
의의

❾ [oi]
きゅうり
오이

❿ [i uju]
この牛乳
이 우유

＊「この」と「牛乳」の間はスペースを入れる

解答解説

◇**이** [i: イー]（二：数詞）と**이** [i イ]（この：冠形詞）のように，日常のソウルことばにも，20 世紀後半頃までは母音の長短で単語を区別する話者が存在した．ところがソウルことばの発音は，例えば母音の広い「エ」ㅐ [ɛ] と狭い「エ」ㅔ [e] の区別がなくなるなど，20 世紀後半以降にも大きく変化した．長母音についても，**今日のソウルことばの多くの話者は長母音を短母音で発音する**．そのため事実上，「二」と「この」はソウルでことばでは同音異義語となっている．なおアナウンサーなどが発音する韓国の**標準語では，長母音を生かす**ので，発音は区別されるたてまえである．

このように実際に用いられているソウルことばと，それを基にして人為的に定めた標準語は，わずかに異なっているところがある．このことは大韓民国だけでなく，朝鮮民主主義人民共和国でも同様で，実際に用いられている平壌のことばと，それを基にした**文化語**と呼ばれる標準語は，多少異なっている．

なお，ソウルのことばと平壌のことばの違いは大きくない．むしろソウルのことばと釜山や大邱などのことばとの違いの方が，はるかに大きいくらいである．

第3課

「これ，何ですか?」

初声 1

初声《しょせい》と初声子音字母

韓国語の音節の頭に立つ**子音**を初声と言います．音のレベルでは，初声子音は 18 種類あります．文字のレベルでは，初声を表す子音字母が 18 種類，初声がゼロであることを示す字母「ㅇ」［イウン］，併せて 19 種類の字母があります．まず初声の全体像を右ページの表でざっと見てから，順に学んでいきましょう．

初声の分類

初声は発音のしかたによって，**鼻音《びおん》，平音《へいおん》，激音《げきおん》，濃音《のうおん》，流音《りゅうおん》**に分けられます．

◇字母の形は，唇音は**唇の形のㅁ**，舌音は**舌が上あごにつく形ㄴ**，牙音は**舌根が喉を閉ざす形ㄱ**，歯音は**歯の形ㅅ**，喉音は**喉の形ㅇ**をもとにして，そこに画を加えて，文字を派生させています：

ㄴは［n］を発音する舌の形

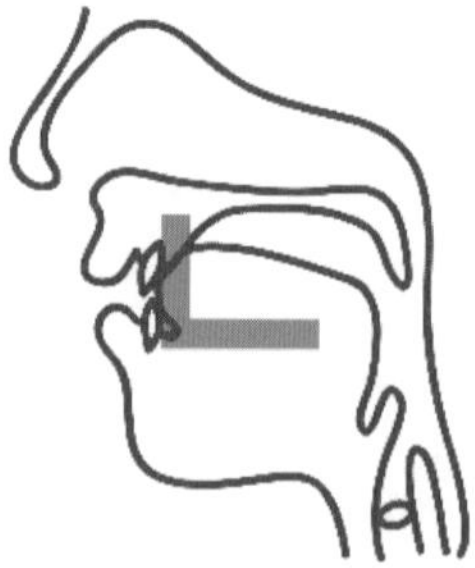

ㄱは［k］を発音する舌の形

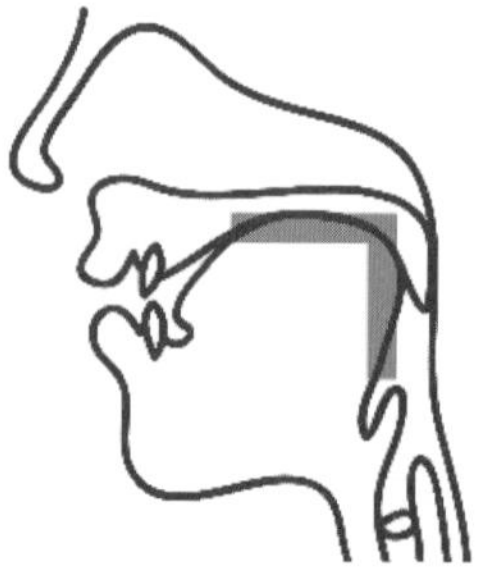

18種の初声子音と19種の子音字母

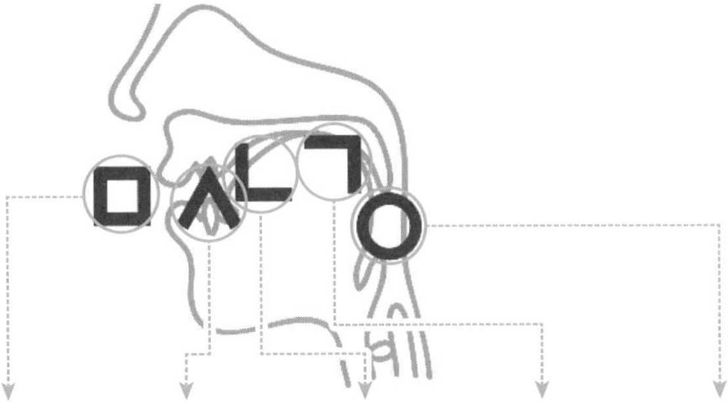

	唇音 唇で発音する mやpの系列 ㅁ	歯音 歯を使った摩擦 のsと破擦のtʃ チュの系列 ㅅ	舌音 舌を使ったnや tの系列とr ㄴ	牙音 舌の奥が 上あごの奥に つくkの系列 ㄱ	喉音 喉の 摩擦のh ㅇ
鼻音 鼻に抜く音	ㅁ m		ㄴ n	ㅇ ŋ	ㅇ 子音なし
平音 強い息や 喉の緊張を 伴わない音	ㅂ p	ㅅ s/ʃ	ㄷ t	ㄱ k	
		ㅈ tʃ			
激音 強い息を伴う音	ㅍ p^h	ㅊ $tʃ^h$	ㅌ t^h	ㅋ k^h	ㅎ h
濃音 喉などの 緊張を伴う音	ㅃ ^{ʔ}p	ㅆ $^{ʔ}s/^{ʔ}ʃ$	ㄸ ^{ʔ}t	ㄲ ^{ʔ}k	
		ㅉ $^{ʔ}tʃ$			
流音 ラ行の子音に 似たrやlの音			ㄹ r/l		

◇表の一列目の「唇音～喉音」の名称は，15世紀に作られた『訓民正音』に現れる名称．現代言語学の名称では，唇音は両唇音，舌音は歯茎音《しけいおん》と歯茎硬口蓋音《しけいこうこうがいおん》，牙音は軟口蓋音《なんこうがいおん》，歯音も歯茎音と歯茎硬口蓋音，喉音は声門音《せいもんおん》．[ŋ]を表わす[ㅇ]については56～57ページ参照

◇発音器官と字母の形については前ページのイラスト参照

◇母音字母と組み合わせるとき，[a]は아，[ma]は마，[o]は오，[mo]は모のごとく，子音字母は19～23ページで見た「ㅇ」の位置に書かれる．

鼻音と鼻音の字母

鼻音は肺から出る空気が，鼻に抜ける音です．空気が口へ抜ける音は，**口音**と言います．

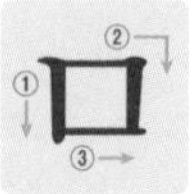

字母	発音	
ㅁ	[m]	日本語のマ行の子音とほぼ同じ
ㄴ	[n]	日本語のナ行の子音とほぼ同じ

DL 12

3-1 書いてみよう．また音も聞いて，発音してみよう．

pdf

❶ [na] 私．僕．俺（非謙譲形） 나

❷ [ne] はい（間投詞） 네

❸ [nuna]（弟に対する）姉 누나

❹ [memo] メモ 메모

❺ [ɔmɔni] お母さん 어머니

❻ [mwɔejɔ] 何ですか？ 뭐예요?

＊ -예요？は「…ですか？」．発音は文字通りの [jejo] ではなく，通常は [에여 ejɔ]．

DL 13

3-2 単語を読んでみよう．できれば，発音記号も書いてみよう．音も聞いて，確認し，発音してみよう．

解答は40ページ

❶ 누나
発音記号［　　　］
意味 ＿＿＿＿

❷ 네
［　　　］
＿＿＿＿

❸ 어머니
［　　　］
＿＿＿＿

❹ 아뇨
［　　　］
＿＿＿＿

❺ 나무
［　　　］
＿＿＿＿

❻ 유머
［　　　］
＿＿＿＿

❼ 내
［　　　］
＿＿＿＿

❽ 매너
［　　　］
＿＿＿＿

❾ 매워요
［　　　］
＿＿＿＿

❿ 아니에요
［　　　］
＿＿＿＿

DL 14

3-3 例にならって，あるいは音を聞いて，次の単語を書き，発音してみよう．

解答は40ページ

例 [nɔ]
おまえ．あんた
（非謙譲形）
너

❶ [na]
私．僕．俺
（非謙譲形）

❷ [nai]
年《とし》（＝年齢）

❸ [ɔmɔni]
お母さん

❹ [ne]
はい
（間投詞）

❺ [nuna]
（弟に対する）
姉

❻ [anjo~anjɔ]
いいえ
（間投詞）

❼ [i namu]
この木

❽ [ne]
え？（間投詞）
末尾を上げて発音
?

❾ [nɔmu]
あまりに．
とっても

❿ [memo]
メモ

⓫ [mwɔejɔ]
なんですか？
?

平音と平音の字母

平音は強い息を伴わず，喉などの緊張も伴わない子音です．字母はㅂ，ㄷ，ㅈ，ㄱ，ㅅの５つがあります．ㅂ，ㄷ，ㅈ，ㄱの字母で表される音は，語頭（単語の頭）では濁らない音，つまり**無声音**となり，語中（単語の中．厳密には有声音に挟まれた位置）では濁った音，即ち**有声音**となります：

字母	発音			
	語頭では、日本語の清音と同じ 無声音		語中では、日本語の濁音と同じ 有声音	
ㅂ	[p]	日本語のパ行の子音とほぼ同じ	[b]	日本語のバ行の子音とほぼ同じ
ㄷ	[t]	日本語のタ，テ，トの子音とほぼ同じ	[d]	日本語のダ，デ，ドの子音とほぼ同じ
ㅈ	[tʃ]	日本語のチャ行の子音とほぼ同じ	[dʒ]	日本語のジャ行の子音とほぼ同じ
ㄱ	[k]	日本語のカ行の子音とほぼ同じ	[g]	日本語のガ行の子音とほぼ同じ

参考 ㅂ，ㄷ，ㅈ，ㄱは唇から喉へと言う，発音する位置の順序

＊ [g] は鼻に掛かった [んが] のような音ではなく，鼻にかからない「ガ」行の音

ㅅ	[s], [ʃ]	日本語のサ行の子音とほぼ同じ [i] [j] の前でも，日本語のシの子音と同じ [ʃ]

＊ [s] [ʃ] は語中でも濁らない

文字の上では同じ平音の字母が，音としては異なって発音される

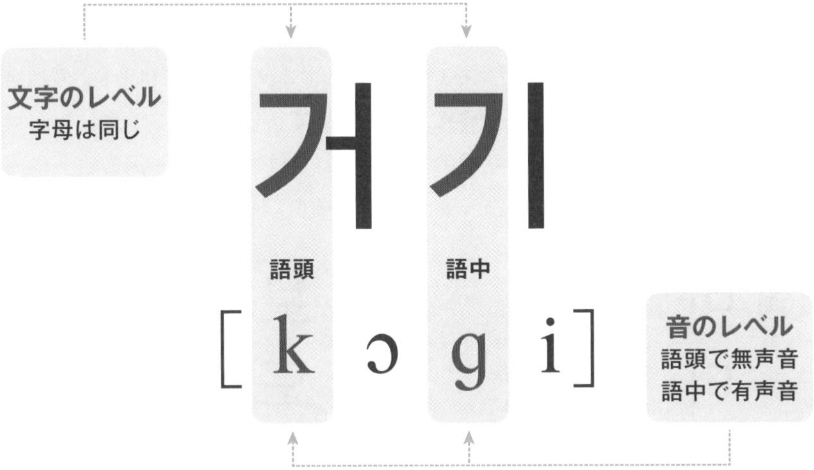

거기（そこ）という単語を見てみましょう．同じ平音のㄱがそれぞれの音節の初声となっています．発音は［kɔki　コキ］ではなくて，［kɔgi コギ］となります．つまりㄱは，語頭では濁らない音＝無声音の［k］で，語中において母音ㅓ［ɔ］と母音ㅣ［i］という有声音に挟まった位置では，有声音の［g］で発音されています．無声音が有声音間で有声音となるこの現象を，**有声音化**と呼びます．

＊なお，母語話者はこの有声音化を意識しない．つまり［k］も［g］も同じ音として認識する．それゆえ同じ１つの字母を用いているわけである．例えば［gɔgi　ゴギ］と発音しても，違和感を与えることはあっても，「そこ」の意にとってはもらえる

DL 15

3-4 母音字母ㅏ，ㅗと子音字母の組み合わせを書いてみよう．

ㅈはカタカナの「ス」のように２画で書きます．１画目は払い，２画目は止めて書きます．ㅅは１画目は払い，２画目はゴシック体では「ㅅ」のごとく払いにデザインされますが，書くときは止めて書きます．ㄱの形にも注意しましょう．가のように母音字母の左にあるときは左に払い，고のように母音字母の上にあるときは下に抜くように書きます：

pdf

[pa]	바	바		
[ta]	다	다		
[tʃa]	자	자		
[ka]	가	가		
[sa]	사	사		

[po]	보	보		
[to]	도	도		
[tʃo]	조	조		
[ko]	고	고		
[so]	소	소		

DL 16

3-5 いくつかの単語を書いてみよう．また音も聞いて，発音してみよう．

pdf

❶ [igɔ]
これ

이거　　이거

❷ [kɯgɔ]
それ

그거　　그거

＊「この間のあれ」「例のあれ」のような，話の現場にない「あれ」も그거と言う

③ [tʃɔgɔejɔ]
あれですか？ 저거예요?

저거예요?

＊遠くにある，指させるような「あれ」だけが저거.「この間のあれ」などには使えない

④ [ɔnɯ gɔejɔ]
どれですか？ 어느 거예요?

어느 거예요?

＊ [ɔnɯ]（どの）と [gɔ]（もの）は続けて発音されるが，文字の上では離して書く

⑤ [pada]
海 바다

바다

⑥ [tubu]
豆腐〈豆腐〉 두부

두부

⑦ [abɔdʒi]
お父さん 아버지

아버지

⑧ [i sagwa]
このりんご 이 사과

이 사과

DL 17

3-6 いくつかの単語などを読んで，書いてみよう．できれば，発音記号も書いてみよう．音も聞いて，確認し，何度か発音してみよう． 解答は40ページ

発音記号　意味

❶이거 이거 [　　　　] ＿＿＿＿＿＿

❷새 새 [　　　　] ＿＿＿＿＿＿

❸아버지 아버지 [　　　　] ＿＿＿＿＿＿

❹어디 어디 [　　　　] ＿＿＿＿＿＿

❺누구 누구 [　　　　] ＿＿＿＿＿＿

❻바다 바다 [　　　　] ＿＿＿＿＿＿

❼주스 주스 [　　　　] ＿＿＿＿＿＿

❽고기 고기 [　　　　] ＿＿＿＿＿＿

❾구두 구두 [　　　　] ＿＿＿＿＿＿

❿자기 자기 [　　　　] ＿＿＿＿＿＿

⓫오이 오이 [　　　　] ＿＿＿＿＿＿

⓬주부 주부 [　　　　] ＿＿＿＿＿＿

⓭배우 배우 [　　　　] ＿＿＿＿＿＿

⓮저기요 저기요 [　　　　] ＿＿＿＿＿＿

⓯이거 주세요 이거 주세요

[　　　　] ＿＿＿＿＿＿

DL 18

3-7 例にならって，あるいは音を聞いて書き，発音してみよう． 解答は41ページ

例 [kɔgiejɔ]
そこです．

거기예요.

❶ [ɔnɯ gɔejɔ]
どれですか？

❷ [kɯgɔejɔ]
それです．

❸ [anjɔ igɔejɔ]
いいえ，これです．

❹ [tʃɔgɔejɔ]
あれですか？

❺ [ne padaejɔ]
はい，海です．

❻ [ne kageejɔ]
え？ 店ですか？

❼ [abɔdʒiejɔ]
お父さんです．

❽ [kɯ sagwaejɔ]
その りんごです．

＊ [kɯ]（その）と [sagwa]（りんご）は多くは続けて発音されるが，離して書く

第3課 問題の解答と解説

DL 13

3-2 (問題は33ページ)

❶누나	❷네	❸어머니	❹아뇨	❺나무
[nuna]	[ne]	[ɔmɔni]	[anjo~anjɔ]	[namu]
(弟から見た)姉	はい(間投詞)	お母さん	いいえ(否定の答えの間投詞)	木

❻유머	❼내	❽ 매너	❾매워요	❿아니에요
[jumɔ]	[nɛ~ne]	[mɛnɔ~menɔ]	[mɛwɔjo~mewɔjɔ]	[aniejo~aniejɔ]
ユーモア(外来語 humor から)	僕の. 私の. 俺の.	マナー(外来語 mannerから)	辛《から》いです	違います

DL 14

3-3 (問題は33ページ)

例 [nɔ]
おまえ. あんた
(非謙譲形)
너

❶ [na]
私. 僕. 俺
(非謙譲形)
나

❷ [nai]
年《とし》(=年齢)
나이

❸ [ɔmɔni]
お母さん
어머니

❹ [ne]
はい
(間投詞)
네

❺ [nuna]
(弟に対する)
姉
누나

❻ [anjo~anjɔ]
いいえ
(間投詞)
아뇨

❼ [i namu]
この木
이 나무

❽ [ne]
え?
(間投詞)
네?

❾ [nɔmu]
あまりに. とっても
너무

❿ [memo]
メモ
메모

⓫ [mwɔejɔ]
何ですか?
뭐예요?

DL 17

3-6 (問題は38ページ)

❶이거	[igɔ]	これ
❷새	[sɛ]	鳥
❸아버지	[abɔdʒi]	お父さん

④어디 [ɔdi] どこ

⑤누구 [nugu] 誰

⑥바다 [pada] 海

⑦주스 [tʃusɯ] ジュース

⑧고기 [kogi] 肉

⑨구두 [kudu] 靴

⑩자기 [tʃagi] 自分〈自己〉

⑪오이 [oi] きゅうり

⑫주부 [tʃubu] 主婦〈主婦〉

⑬배우 [pɛu] 俳優〈俳優〉

⑭저기요 [tʃɔgijɔ] すみません！（人への呼びかけ）

⑮이거 주세요 [igɔ tʃusejɔ] これください

DL 18

3-7（問題は39ページ）

例 [kɔgiejɔ]
そこです.
거기예요.
＊ －예요は「…です」,
文末を下げて発音

❶ [ɔnɯ gɔejɔ]
どれですか？
어느 거예요?
＊ －예요は文末の「요」を上げて
発音すると「…ですか？」

❷ [kɯgɔejɔ]
それです.
그거예요.

❸ [anjɔ igɔejɔ]
いいえ，これです.
아뇨, 이거예요.

❹ [tʃɔgɔejɔ]
あれですか？
저거예요?

❺ [ne padaejɔ]
はい，海です.
네, 바다예요.

❻ [ne kageejɔ]
え？店ですか？
네? 가게예요?

❼ [abɔdʒiejɔ]
お父さんです.
아버지예요.

❽ [kɯ sagwaejɔ]
その りんごです.
그 사과예요.

第4課 「チユさん，それ，とっても可愛いですよ」

初声2

激音と激音の字母

鼻音や平音と違って，激音は強い息を伴う子音です．唇や舌などが離れるときに，「はーっ」と手に息を吹きかけるときのような，掌で感じられるほどの息を伴います．語頭，語中にかかわらず，基本的に常に無声音で，濁りません．中国語などの有気音はこの激音に相当します．

＊激音の字母は平音の字母ㅂ，ㄷ，ㅈ，ㄱとㅇに，画を加えてできている

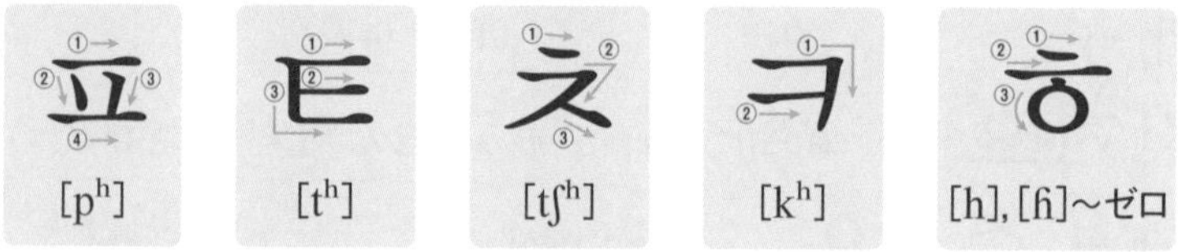

字母	発音	
ㅍ	[p^h]	日本語のパ行の子音と似るが，唇を開くとき，強い息を伴う
ㅌ	[t^h]	日本語のタ，テ，トの子音と似るが，歯の付け根から舌先を離すとき，強い息を伴う
ㅊ	[tʃ^h]	日本語のチャ行の子音と似るが，歯の付け根から舌先を離すとき，強い息を伴う
ㅋ	[k^h]	日本語のカ行の子音と似るが， 舌の奥が口の天井から離れるとき，強い息を伴う
ㅎ	[h]	日本語のハ行の子音と似るが，強い息を伴う． 語中の有声音間では弱化したり脱落したりする

＊ㅎが [h] として十全に発音されるのは，語頭に立つときくらいで，語中の有声音間では有声音の [ɦ] となったり，しばしば完全に脱落する

＊発音記号の [^{h}] は強い息が伴うことを示す．카 [k^{h}a] とあれば，［クハ］ではなく［カ］という1音節．k の舌の奥が口の奥の天井から離れて [a] になるとき，つまり k を破裂させるときに，強い息が出る

DL 19

4-1 母音字母類と激音字母の組み合わせを書いてみよう．

pdf

[p^{h}ɔ]	퍼	퍼			[p^{h}u]	푸	푸		
[t^{h}i]	티	티			[t^{h}we]	퇴	퇴		
[tʃ^{h}e]	체	체			[tʃ^{h}wɔ]	춰	춰		
[k^{h}ɛ]	캐	캐			[k^{h}ɯ]	크	크		
[hwa]	화	화			[hɛ]	해	해		

DL 20

4-2 いくつかの単語を書いてみよう．音も聞いて，発音してみよう．

pdf

❶ [k^{h}ɔp^{h}i] コーヒー　커피　커피

❷ [p^{h}at^{h}i] パーティ　파티　파티

❸ [tʃ^{h}wego] 〈最高〉最高　최고　최고

❹ [sɯt^{h}ɔdi] 勉強会　스터디　스터디

❺ [hɛjɔ] します；しましょう　해요　해요

＊해요 [hɛjo] は普通 [hejɔ] ほどに発音．本書では [hɛjɔ] と表記しておく．丁寧な平叙文「します」のほか，親しい友人や目下に対する勧誘文「しようよ」「しましょう」の意や，目下に対する命令文「しなさいよ」「してね」の意にも使える．文末を上げると疑問文「しますか？」の意となる．

❻ [hasejɔ]
なさいます　**하세요**

＊하세요 [hasejo] は普通 [hasejɔ] ほどに発音．해요「します」の尊敬形で，平叙文「なさいます」，疑問文「なさいますか」，命令文「なさいませ」「してください」などに，たくさん用いられる

❼ [hwesa]
〈會社〉会社　**회사**

❽ [sa(h)we]
〈社會〉社会　**사회**

❾ [tʃʰa]
〈車〉車　**차**

＊회사 [hwesa]（会社）ではㅎが語頭にあるので，［フェサ］のように [h] がはっきり聞こえるが，사회 [sa(h)we]（社会）になるとㅎが有声音である [a] と [w] に挟まれているので，有声音化したり，脱落し，［サウェ］と聞こえる

＊同じように，스터디 [sɯtʰɔdi ストディ]（勉強会）＋해요 [hɛjɔ ヘヨ]（します）を「勉強会します」のように続けて発音すると，ㅎが有声音である母音 [i] と [ɛ]（事実上は狭い [e] で発音→ 18 ページ）に挟まれて，[sɯtʰɔdi(h)ɛjɔ ストディエヨ] となってしまう

DL 21

4-3 次の単語を読んで，書いてみよう．発音記号も書いてみよう．音も聞いて発音してみよう．初めて見る単語は，意味を想像してみよう． 解答は50ページ

	発音記号	意味
❶코	[　　　]	
❷커피	[　　　]	
❸치마	[　　　]	
❹차	[　　　]	
❺표	[　　　]	

⑥ 스터디해요　스터디해요

発音記号 [　　　]　　意味

⑦ 하나　하나　[　　　]

⑧ 회사　회사　[　　　]

⑨ 노트　노트　[　　　]

⑩ 케이크　케이크　[　　　]

⑪ 와이파이　와이파이　[　　　]

⑫ 패스워드　패스워드　[　　　]

DL 22

4-4 発音記号をみて，音を聞いて，次の文を書き，発音してみよう．どれも実際に使えるリアルな文．最初は書けなくて当然，挑戦してみよう． 解答は51ページ

例 [kɔgi]
そこ
거기

❶ [i k^{h}ɔp^{h}iejɔ]
このコーヒーですか？
?

❷ [p^{h}at^{h}i(h)ɛjɔ]
パーティしましょ！
!

❸ [igɔ tʃ^{h}wegoejɔ]
これ，最高です！
, !

❹ [ɔnɯ hwesaejɔ]
どの会社ですか？
?

＊ [ɔnɯ]（どの）と [hwesa]（会社）を切って発音すると [ɔnɯ hwesa]，続けて発音すると [ɔnɯ(h)wesa]．文字の上では常に離して書く．

❺ [sɯp^{h}otʃ^{h}ɯ hasejɔ] スポーツ，なさいますか？
── [ne t^{h}enisɯ hɛjɔ] はい，テニスします．
?
, .

⑥ [kɯgɔ hana tʃusejɔ]
それ，1 つください．

濃音と濃音の字母

濃音はほとんど息を伴わず，喉を著しく緊張させて出す子音です．語頭，語中にかかわらず，常に無声音で，濁りません．発音記号の [ˀ] は喉を緊張させて出す印《しるし》です．

＊濃音の字母は平音の字母を細身にして，2 つ並べてできている：

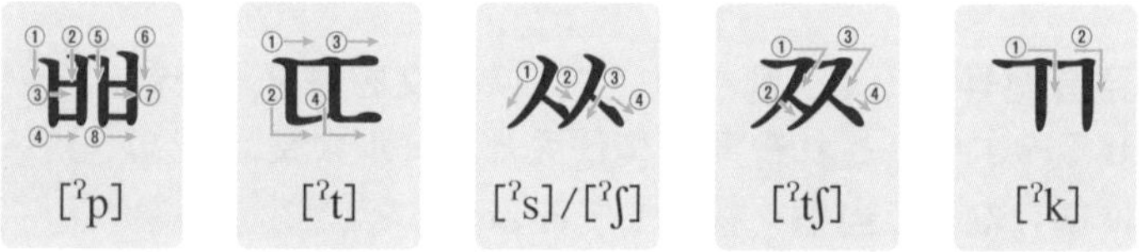

字母	発音	
ㅃ	[ˀp]	日本語のパ行の子音の前に「っ」をつけて出すような音． 「やっぱり」の「っぱ」の子音に似る
ㄸ	[ˀt]	日本語のタ，テ，トの子音の前に「っ」をつけて出すような音． 「やった」の「った」の子音に似る
ㅆ	[ˀs] [ˀʃ]	日本語のサ行の子音の前に「っ」をつけて出すような音． [ˀs] は「あっさり」の「っさ」，[i][j] の前では [ˀʃ]，「どっしり」の「っし」の子音に似る
ㅉ	[ˀtʃ]	日本語のチャ行の子音の前に「っ」をつけて出すような音． 「ぽっちゃり」の「っちゃ」の子音に似る
ㄲ	[ˀk]	日本語のカ行の子音の前に「っ」をつけて出すような音． 「すっかり」の「っか」の子音に似る

＊「あー」と伸ばす音を，唇や舌を使わずに，「あー ˀ あー ˀ あー」と，喉だけで切って発音してみると，音を切るために喉を絞める状態がわかる．喉が締まったその緊張状態から，ㅂ，ㄷ，ㅅ，ㅈ，ㄱを発音すると，それぞれ濃音ㅃ，ㄸ，ㅆ，ㅉ，ㄲとなる

DL 23

4-5 母音字母と濃音字母の組み合わせを書いてみよう．

pdf

[ˀpa]	빠	[ˀpu]	뿌
[ˀtɛ]	때	[ˀti]	띄
[ˀʃi]	씨	[ˀso]	쏘
[ˀtʃɛ]	째	[ˀtʃu]	쭈
[ˀkɔ]	꺼	[ˀkwɔ]	꿔

DL 24

4-6 いくつかの単語を書いてみよう．音も聞いて，発音してみよう．

pdf

❶ [oˀpa] (妹に対する)お兄さん　오빠

❷ [ɔˀtɛjɔ] どうですか？　어때요?

❸ [ˀsajɔ] 安いです　싸요

❹ [jumiˀʃi] ユミさん〈-氏〉　유미 씨

❺ [aˀka] さっき　아까

❻ [jeˀpɔjɔ] 可愛いです　예뻐요

❼ [kiˀpɔjɔ] 嬉しいです　기뻐요

流音 [r] と流音の字母

流音は日本語のラ行の子音に似た音です．舌先が軽く歯茎を弾く子音です．

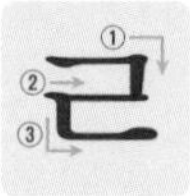

字母	発音	
ㄹ	[r]	日本語のラ行の子音とほぼ同じ

DL 25

4-7 母音字母と流音字母の組み合わせを書いてみよう．

pdf

[ra]	라	라			[ru]	루	루		
[re]	레	레			[rjo]	료	료		
[ri]	리	리			[ro]	로	로		
[rɛ]	래	래			[rju]	류	류		
[rɔ]	러	러			[rɯ]	르	르		

DL 26

4-8 いくつかの単語を書いてみよう．音も聞いて，発音してみよう．

pdf

❶ [norɛ]
歌
노래

노	래		

❷ [uri]
私たち
우리

우	리		

❸ [nara]
国
나라

나	라		

❹ [jori]
料理〈料理〉
요리

요	리		

❺ [kɯrɛjɔ]
そうですか
그래요?

그	래	요			

DL 27

4-9 会話してみよう．単語を取り替えて，応用しよう．

解答は51ページ

a 취미가 뭐예요?

[tʃ^{h}wimiga mwɔejɔ]

趣味は何ですか？（直訳：趣味が何ですか？）

＊취미〈趣味〉趣味．－가［助詞］…が．（疑問詞と共に用いて）…は

b 저, 피아노가 취미예요.

[tʃɔ p^{h}ianoga tʃ^{h}wimiejɔ]

私，ピアノが趣味です．

＊저 私（謙譲形）．피아노 ピアノ．기타 [kit^{h}a] ギター．야구 [jagu]〈野球〉野球．요리 料理．노래 歌．유튜브 [jut^{h}jubɯ ユティブ] YouTube．스포츠 [sɯp^{h}otʃ^{h}ɯ スポチュ] スポーツ．이게 [ige] これが

지유 와, 유미 씨 그거 너무 예뻐요!

[wa jumi ˀʃi kɯgɔ nɔmu jeˀpɔjɔ]

（装いなどを見て）わ，ユミさん，それ，とっても可愛いです！

＊너무［副詞］とっても．あまりにも

＊그 치마 そのスカート

유미 아이, 아니에요. 지유 씨가 더 예뻐요.

[ai aniejɔ] [tʃiju ˀʃiga tɔ jeˀpɔjɔ]

いやぁ，そんなことないですよ．チユさんがもっと可愛いですよ．

＊아이［間投詞］（嬉しかったり，謙遜するなどで軽く）いや．なに

＊더［副詞］（比較して）もっと．より

＊아니에요［指定詞］（否定して）違います

DL 21

4-3 (問題は44ページ)

❶코 [k^{h}o] 鼻

❷커피 [k^{h}ɔp^{h}i] コーヒー

❸치마 [tʃ^{h}ima] チマ(民族衣装のスカート). スカート

❹차 [tʃ^{h}a] 車〈車〉; 茶〈茶〉

❺표 [p^{h}jo] 切符. チケット〈票〉

❻스터디해요 [sɯt^{h}ɔdi(h)ɛjɔ] 勉強会します／しましょうよ

❼하나 [hana] 1つ [数詞]

❽회사 [hwesa] 会社〈會社〉

❾노트 [not^{h}ɯ] ノート

❿케이크 [k^{h}eik^{h}ɯ] ケーキ

⓫와이파이 [waip^{h}ai] Wi-Fi

⓬패스워드 [p^{h}ɛsɯwɔdɯ] パスワード

＊ここでも解るように, 激音は外来語にたくさん現れる. 英語の発音の [p], [t], [k], [tʃ] は, 韓国語では基本的にㅍ, ㅌ, ㅋ, ㅊで表す決まりだからである

DL 22 **4-4**（問題は45ページ）

例 [kɔgi]
そこ
거기

❶ [i k^{h}ɔp^{h}iejɔ]
このコーヒーですか？
이 커피예요?

❷ [p^{h}at^{h}i(h)ɛjɔ]
パーティしましょ！
파티해요!

❸ [igɔ tʃ^{h}wegoejɔ]
これ，最高です！
이거, 최고예요!

❹ [ɔnɯ hwesaejɔ]
どの会社ですか？
어느 회사예요?

＊ [ɔnɯ]（どの）と[hwesa]（会社）を切って発音すると[ɔnɯ hwesa]，続けて発音すると[ɔnɯ(h)wesa]．文字の上では常に離して書く

❺ [sɯp^{h}otʃ^{h}ɯ hasejɔ]
スポーツ，なさいますか？
스포츠 하세요?

―― [ne t^{h}enisɯ hɛjɔ]
はい，テニスします．
―네, 테니스 해요.

❻ [kɯgɔ hana tʃusejɔ]
それ，1 つください．
그거, 하나 주세요.

＊ ❶～❻の文末の요は唇を丸く突き出す [jo] ではなく，多くは여 [jɔ] のように開いて発音される

DL 27 **4-9**（問題は49ページ）

ⓐ **취미가 뭐예요?**
[tʃ^{h}wimiga mwɔejɔ]
趣味は何ですか？（直訳：趣味が何ですか？）
＊취미〈趣味〉趣味．－가［助詞］…が．（疑問詞と共に用いて）…は

◇「**취미가 뭐예요？**」は直訳すると「趣味が何ですか」．**－가**は母音で終わる単語につく助詞．**－가**は b) のように通常は「…が」に相当するが，a) のように**뭐**（何）のような疑問詞を伴う疑問詞疑問文では「…は」に相当する→ 学習が進んだら 77 ページのワンポイントも見よ

b 저, 피아노가 취미예요.

[tʃɔ p^{h}ianoga tʃ^{h}wimiejɔ]

私，ピアノが趣味です.

＊피아노 ピアノ．기타 [kit^{h}a] ギター．야구 [jagu]〈野球〉野球．요리 料理．노래 歌．유튜브 [jut^{h}jubɯ] YouTube．스포츠 [sɯp^{h}otʃ^{h}ɯ] スポーツ．이게 [ige] これが

DL 28

◇応用例として

例 1 저, 요리가 취미예요.

[tʃɔ joriga tʃ^{h}wimiejɔ]

私，料理が趣味です.

例 2 저, 이게 취미예요.

[tʃɔ ige tʃ^{h}wimiejɔ]

私，これが趣味です.（何かを示しながら）

例 3 저, 취미가 이거예요.

[tʃɔ tʃ^{h}wimiga igɔejɔ]

私，趣味がこれです.（何かを示しながら）

지유 와, 유미 씨, 그거 너무 예뻐요!

[wa jumi ^{ʔ}ʃi kɯgɔ nɔmu je^{ʔ}pɔjɔ]

（装いなどを見て）わ，ユミさん，それ，とっても可愛いです！

＊너무 [副詞] とっても．あまりにも．会話では強調して「너무 너무 예뻐요 !」（めちゃめちゃ可愛いです！）などと重ねても使われる

DL 29

◇応用例として

例 1 와, 그 치마, 너무 예뻐요!

[wa kɯ tʃ^{h}ima nɔmu je^{ʔ}pɔjɔ]

わ，そのスカート，とっても可愛いです！

例 2 유미 씨, 치마가 너무 예뻐요!

[jumi ^{ʔ}ʃi tʃ^{h}imaga nɔmu je^{ʔ}pɔjɔ]

ユミさん，スカートがとっても可愛いです！

유미 아이, 아니에요. 지유 씨가 더 예뻐요.

[ai aniejɔ] [tʃiju ˀʃiga tɔ jeˀpɔjɔ]

いやぁ, そんなことないですよ. チユさんがもっと可愛いですよ.

＊더［副詞］(比較して) もっと. より

＊아이［間投詞］(嬉しかったり, 謙遜するなどで軽く) いや. なに

ワンポイント

DL 30

아니에요

[指定詞]

違います. いえいえ.

◇「아이, 아니에요.」は褒められたりした際の, 謙遜の表現として使える. また次のような用法にも活躍する：

유미 씨 노트예요? — 아뇨, 아니에요.

ユミさんのノートですか？ —— いいえ, 違います.

이거, 두부찌개 아니에요? — 네, 두부찌개예요.

これ, 豆腐チゲ(鍋物)じゃないですか？ —— ええ, 豆腐チゲですよ.

第5課

「こんにちは！」

終声

終声と終声字母

音節末の子音＝終声

日本語は「雨に」/a/，/me/，/ni/ のようにほとんどの音節が母音で終わります．

＊子音で終わるのは，「やった」/yatta/ の /yat/ のようなつまる音＝促音《そくおん》か，「本」/hoN/ の /N/ のようなはねる音＝撥音《はつおん》くらいしかない

韓国語では子音で終わる音節がたくさん現れます．音節の頭の子音を**初声**《しょせい》，音節の核となる母音を**中声**《ちゅうせい》，音節の末尾に立つ子音を**終声**《しゅうせい》と呼びます：

[pam パム]　[p] **が初声,** [a] **が中声,** [m] **が終声**

ただし**終声に立つことができる子音は 7 種類**だけです：

❶**鼻音**《びおん》 [m][n][ŋ]　❷**口音**《こうおん》 [^{p}][^{t}][^{k}]　❸**流音**《りゅうおん》 [l]

◇ 流音も口音の 1 種であるが（→31ページの表），上のように 3 分類すると，役立つ

◇ 例えば英語だと，book/buk/ や righ /raɪt/，all/ɔːl/ などのほか，books /buks/ の /ks/ や，strength/streŋ(k)θ/ のように子音が 2 つ以上連なったものも音節末に立つ．これに対し，韓国語の終声は常に子音 1 つだけ．また「音節」「子音」「終声」「鼻音」などは全て音のレベルの名称．文字のレベル＝綴りではないことに注意．「終声字母」などは文字の名称

終声字母

音節にはその核となる中声＝母音が必ずあります．初声の子音があれば，初声字母を書き，ないときは，ㅇ [イウン] を書く決まりでした (→ 19 ページ)．音節が母音で終わるとき，つまり終声がないときは，何も書きません．2～4 課で学んだのは全てこのタイプです．

終声があるときは，終声字母を書きます．終声字母には初声字母と同じ字母を用い，文字の下半分に書きます：

音のレベル	初声	なし	なし	あり	あり
	終声	なし	あり	なし	あり
		[a]	[an]	[na]	[nan]
文字のレベル		아	안	나	난

(안・난 の下の字母：終声字母)

DL 31

5-1 7 種類の終声字母を아 [a] の下につけよう．
音も聞いてみよう．

아	암	안	앙	압	앋	악	알
[a]	[am]	[an]	[aŋ]	$[a^p]$	$[a^t]$	$[a^k]$	[al]
[ア]	[アㇺ]	[アㇴ]	[アん]	[アㇷ゚]	[アッ]	[アㇰ]	[アㇽ]
	鼻音			口音			流音

아	암	안	앙	압	앋	악	알

鼻音の終声——鼻に抜ける音

肺から出る空気が鼻に抜ける音を**鼻音**《びおん》と言います（→ 32 ページ）．鼻音の初声には [m] と [n] がありましたね．鼻音の終声にはさらに [ŋ]（音は [ん] のような音．発音記号を指すときは，「エヌジー」と呼ばれる）を加え，3 種があります：

字母	発音	
ㅁ	[m ム]	唇をしっかり閉じたまま，息を鼻に抜く音
ㄴ	[n ン]	舌先を上の歯，歯茎にしっかり密着させたまま，息を鼻に抜く音．唇は閉じない
ㅇ	[ŋ ん]	舌先は下に置いたまま，舌の後ろ（奥）を口の天井（軟口蓋）につけたまま，息を鼻に抜く音．唇は閉じない

＊発音記号の [ŋ] は，「エヌジー」と呼ばれる

아 [a] の下に終声字母をつけて書き，発音してみましょう．**암**，**안**，**앙**のいずれも，唇や舌で閉じた後には，しっかりつけて離さないことがこつです：

DL 32

암 [am アム]

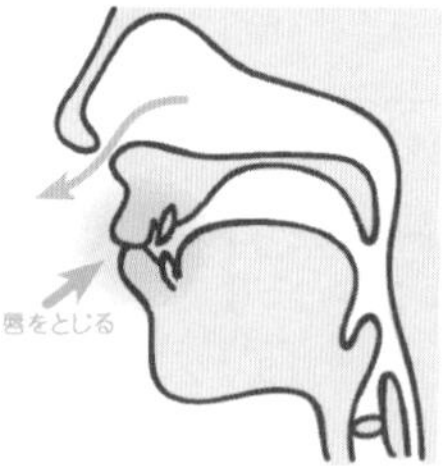

終声の / ㅁ / [m]
唇の音
ㅂ [p] と同じ位置

안 [an アン]

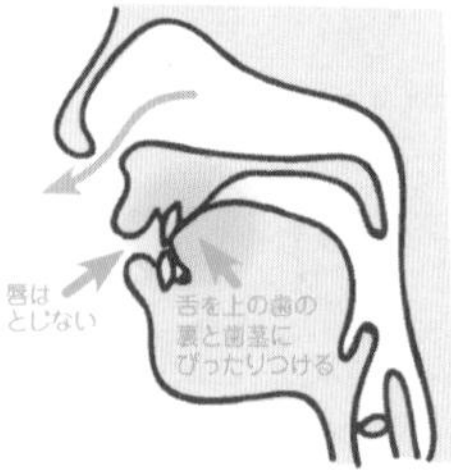

終声の / ㄴ / [n]
舌先の音
ㄷ [t] とほぼ同じ位置

앙 [aŋ アん]

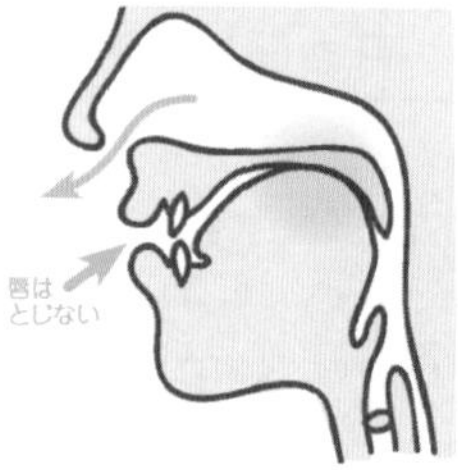

終声の / ㅇ / [ŋ]
舌の奥の音
ㄱ [k] とほぼ同じ位置

memo

日本語にもそっくりの音がある

終声の　ㅁ [m] は，「あんまり」[ammari] の [m]
　　　　ㄴ [n] は，「あんな」[anna] の [n]
　　　　ㅇ [ŋ] は，「あんがい」[aŋgai][aŋŋai]（案外）の [ŋ]

面白いことに，日本語ではこの３つの子音を同じ１つの「ん」という音であると認識しています．ところが，韓国語ではこれら３つは，日本語で言えば，[p] と [t] と [k] の違いくらいに異なっています！

字母ㅇ [iɯŋ イウん] の２つの役割

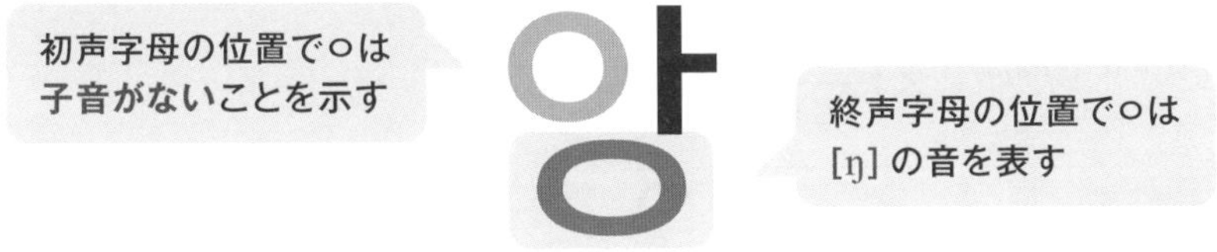

DL 33

5-2 いくつかの単語を書いてみよう．音も聞いて，発音してみよう．

pdf

❶ [pam] 夜　밤 밤

❷ [pan] 〈半〉半分　반 반

❸ [paŋ] 〈房〉部屋　방 방

❹ [sɔnsɛŋnim] 〈先生 -〉先生　선생님 선생님

❺ [saram] 人　사람 사람

❻ [saraŋ]
愛．恋

사랑

사랑

❼ [koŋbu]
〈工夫〉勉強

공부

공부

❽ [annjɔŋ(h)asejɔ]
〈安寧 -〉こんにちは

안녕하세요?

안녕하세요?　?

＊「安寧《あんねい》でいらっしゃいますか？」＝「お元気でいらっしゃいますか」の意で,「おはようございます」から「こんばんは」までいつでも使える．初対面の挨拶にも用いられる．こう言われたら,「네，안녕하세요？」と答えればよい．네はなくとも可

❾ [tʃigɯm kajɔ]
今行きますか？

지금 가요?

지금 가요?　?

❿ [angajɔ]
行きません．

안 가요.

안 가요.　.

＊動詞や形容詞の直前に副詞 안 [an] をつけると,「…しない」「…くない」という否定文ができる．안は次の単語とつけて発音されるので，[kajɔ] は [angajɔ] と有声音化する

⓫ [ansajɔ]
買わないのですか？

안 사요?

안 사요?　?

＊「안 사요？」（買いませんか？）に対する答えは,「네，안 사요．」[ne ansajɔ]（はい，買いません),あるいは「아뇨，사요．」[anjɔ sajɔ]（いいえ，買います）

口音の終声――口に抜ける音

口音の終声ㅂ [^{p}]，ㄷ [^{t}]，ㄱ [^{k}] はいずれも無声音で，濁音になりません．音の末尾は唇や舌できちんと止めたまま離さず，閉鎖するだけで，破裂しない音です．発音記号では上付きの文字で表します．가の初声字母のㄱは左に払いますが，終声字母のㄱは左に払わず，악のように真下に抜く形です：

字母	発音	
ㅂ	[^{p}]	唇をしっかり閉じて止める．「アップ」の最後の「プ」を破裂させずに，唇を閉じたまま終える音
ㄷ	[^{t}]	舌先を上の歯，歯茎にしっかり密着させて止める．唇は閉じない．「やった」の「た」を破裂させず，「やっ」で止めたまま終える音
ㄱ	[^{k}]	舌先は下に置いたまま，舌の後ろ（奥）を口の天井（軟口蓋）につけて止める音．唇は閉じない．「アック」の「ク」を破裂させない「ッ」の音

流音の終声――舌先を上につけ，舌の両脇から空気が抜ける音

流音の終声にはㄹ [l] があります．舌先を歯茎よりも更に奥の天井につけ，肺からの息を舌の両側から外に出す音です．字母ㄹは，初声字母の位置では [r] ですが，終声字母の位置では [l] で発音されます：

字母	発音	
ㄹ	[l]	舌をしっかり口の天井，歯茎よりやや奥の位置にぴったりつけて止める．つけたまま息を吸って，舌の両側だけが涼しくなれば，舌がついていることが確認できる

DL 34

5-3 いくつかの単語を書いてみよう．音も聞いて，発音してみよう．終声の音はきちんと止めるのがこつ．

pdf

❶ [pa^{p}] ごはん 밥 밥

❷ [ko^{t}] ［副詞］すぐに 곧 곧

❸ [ja^{k}] 〈藥〉薬 약 약

❹ [mal] ことば 말 말

❺ [tʃi^{p}] 家 집 집

⑥ [nɛil]
〈來日〉明日
내일

⑦ [hangu^{k}]
〈韓國〉韓国
한국

⑧ [ilbon]
〈日本〉日本
일본

終声規則――終声字母はいろいろ，でも音は7種だけ

音のレベルで終声として発音できる音は，①鼻音ㅁ [m]，ㄴ [n]，ㅇ [ŋ]，②口音ㅂ [^{p}]，ㄷ [^{t}]，ㄱ [^{k}]，③流音 ㄹ [l] の７種のみです．ところが文字のレベルでは，終声字母の位置に，**앞，있，밖**などのように，これら７種以外の子音字母が書かれるものがあります．しかしそれらも，必ず７種のうちのどれかの音に還元されて発音されます．これを終声規則と呼びます：

文字のレベル		音のレベル
書かれる終声字母		実際の発音
ㅂ	ㅂ ㅍ	[^{p}]
ㄷ	ㅌ ㅅ ㅆ ㅈ ㅊ ㅎ*	[^{t}]
ㄱ	ㅋ ㄲ	[^{k}]

＊終声字母ㅍは同じ p の系列のㅂ [^{p}] となり，ㅋやㄲも同じ系列のㄱ [^{k}] となるので，それ以外の字母は全てㄷ [^{t}] となると覚えれば，簡単．낫，났，낮，낯どれも [na^{t}] → 113 ページ参照

終声字母の位置に書かれるㅎは，次に母音が来る場合は発音されません：

DL 35

좋으세요?　[조으세여 tʃoɯsejɔ]　(お) よろしいですか

좋아요　[조아여 tʃoajɔ]　良いです

DL 36

5-4 単語とその発音をハングルで書き，音も聞いて，発音してみよう．

pdf

❶ [a^{p}] 前 앞

❷ [mi^{t}] 下 밑

❸ [o^{t}] 服 옷

❹ [pa^{k}] 外 밖

❺ [na^{t}] 昼 낮

❻ [$^{\mathrm{?}}$ko^{t}] 花 꽃

❼ [tʃoajɔ] 良いです 좋아요

終声字母の位置には**값**（値段:発音は [**갑**]），**닭**（鶏:発音は [**닥**]），**여덟**（8つ:発音は [**여덜**]），**삶**（生きること：発音は [**삼**]），**삯**（賃金：発音は [**삭**]）のように，2つの字母が書かれる単語があります．それらを単独で発音する際には，片方だけ発音します．**ㄺ**と**ㄻ**だけは右の字母を発音します．この種の単語は数が限られていますので，出て来たときに，覚えれば大丈夫です：

文字のレベル		音のレベル
書かれる終声字母		実際の発音
ㅂ	ㅄ ㄿ	[^{p}]
ㄱ	ㄳ ㄺ	[^{k}]
ㅁ	ㄻ	[m]
ㄴ	ㄵ ㄶ	[n]
ㄹ	ㄼ ㄽ ㄾ ㅀ	[l]

第6課 「もしかして，韓国の方でいらっしゃいますか？」

濃音化．終声の初声化

濃音化＝つまる音[^{p}][^{t}][^{k}]の次の平音は濃音になる

例えば，韓国語の「学校」という漢字語は日本語同様，**학**〈學〉[ha^{k}] ＋**교**〈校〉[kjo] という結合でできています．このとき，後ろの**ㄱ** [k] は有声音化して [ha^{k}gjo ハクギョ] と濁るのではなく，濃音化して，[ha^{kʔ}kjo **학꾜** ハッキョ] と発音されます：

DL 37

학 [ha^{k}] + **교** [kjo] ▶ **학교** [ha^{kʔ}kjo 학꾜]

[ha^{k}] など [^{p}][^{t}][^{k}] のようにつまる音の次に**ㅂ** [p]，**ㄷ** [t]，**ㅈ** [tʃ]，**ㄱ** [k]，**ㅅ** [s/ʃ] のような平音が結合すると，その平音は [^{ʔ}p ㅃ]，[^{ʔ}t ㄸ]，[^{ʔ}tʃ ㅉ]，[^{ʔ}k ㄲ]，[^{ʔ}s/^{ʔ}ʃ ㅆ] のような濃音で発音されるのです．この音変化はどこまでも音のレベルで起こるもので，文字には変化なく，反映されません．

DL 38

6-1 単語を書き，학교 [학꾜] のごとく，発音通りにハングルで書き，発音してみよう． 解答は72ページ

pdf

					発音	
① 학생	학	생			[학쌩]	〈學生〉学生
② 잡지	잡	지			[잡찌]	〈雜誌〉雑誌
③ 혹시	혹	시			[혹씨]	〈或是〉もしや．ひょっとして
④ 책방	책	방			[책빵]	〈冊房〉本屋

❺ 있다 [읻따] [存在詞] ある.

❻ 있죠? [읻쩌] ある／いるでしょう？

❼ 맞다 [맏따] 合っている

合成語における濃音化

平音の濃音化は，単語と単語がくっついて発音されたり，新しい合成語を造る際にも起こることがあります．これらは単語と単語の組み合わせによって，濃音化が起きるかどうかが，決まっています：

DL 39

비빔 + 밥 ▶ 비빔밥 [pibimˀpaᵖ 비빔빱]
混ぜること＋ ごはん　混ぜごはん＝ピビンパ [新しい合成語]

일본 + 분 ▶ 일본 분 [ilbonˀpun 일본뿐]
日本 ＋ かた　日本のかた [2 単語の発音上の結合]

終声の初声化＝終声は，直後に来る母音とくっつき初声となる

例えば，**밤** [pam パㇺ]（夜）のように終声**ㅁ** [m] で終わる音節に，**이** [i イ]（…が：助詞）のように母音で始まる音節が結合すると，**밤이**（夜が）は [pam-i パㇺ - イ] と発音されず，必ず [pa-mi パ - ミ] と発音されます．終声**ㅁ** [m] が次の音節の初声となっているわけです．

一般に，終声は次の音節が母音で始まると，次の音節の初声となります．これを**終声の初声化**と呼びます：

DL 40

밤 [pam パム] + **이** [i イ]　　**밤이** [바미 pa-mi パミ]

終声（밤）　母音で始まる（이）　文字はそのまま（밤이）　初声となって発音される（바미）

終声の初声化によって音節の構造は次のように変容します：

母音 ＋ 終声子音 ＋ **母音** ▶ **母音** ＋ **初声子音 ＋ 母音**

終声の初声化は発音上の変化で，文字には表されません．これを文字上で表すと，次のような音節の構造の変容が起こっているわけです：

밤 이　→　**바 ㅁ 이**　→　**바 미**

平音の終声は初声化する際に，有声音化も起こります．

밥（ご飯）＋**이**（…が：助詞）の結合を見てみましょう：

DL 41

밥 [paᵖ パプ] + **이** [i イ]　　**밥이** [바비 pa-bi パビ]

終声：つまる音で無声音（밥）　初声は有声音化し，濁って発音（바비）

DL 42

6-2 **単語を，例にならって，単独の場合と，その後ろに助詞이(…が）をつけた場合の，それぞれを書いて，発音してみよう．** 解答は72ページ

pdf 例 **시간**

[ʃigan]〈時間〉時間

시	간

시	간	이

[시가니 [ʃigani]] 時間が

❶ 수업

[suɔ^{p}]〈授業〉授業

[[ ]] 授業が

❷ 책

[tʃ^{h}ɛ^{k}]〈冊〉本

[[ ]] 本が

❸ 비빔밥

[pibim^{ʔ}pa^{p}] ピビンパ

[[ ]] ピビンパが

❹ 사람

[saram] 人

[[ ]] 人が

❺ 방

[paŋ]〈房〉部屋

[[ ]] 部屋が

❻ 말

[mal] ことば

[[ ]] ことばが

＊終声 [l] が初声化すると，[r] で発音される→ p.48, 59 ㄹの発音

❼ 앞

[a^{p}] 前

[[ ]] 前が

❽ 옷

옷 이

[옫 o^{t}] 服

[오시 [oʃi]] 服が

＊こうした名詞類の語末の終声 [t] は，文字の上では終声字母がㄷではなく，ㅅで書かれる．語末の終声 [t] が初声化する際には，このように必ず [ㅅ s/ʃ] に変化して発音される単語なので，最初からㅅで書いているわけである．面白いことに，次のような外来語の例でも同様：

⑨ 인터넷 인터넷이

[인터넫 int^{h}ɔne^{t}]
インターネット

[인터네시 [int^{h}ɔneʃi]] インターネットが

DL 43

6-3 単語の内部で起きている終声の初声化に注目しつつ，聞いて，書き，発音してみよう．
解答は74ページ

pdf

① 한국어 〈韓國語〉韓国語

② 일본어 〈日本語〉日本語

③ 일요일 〈日曜日〉日曜日

④ 있어요 あります / います

⑤ 맛있어요 おいしいです

⑥ 재미있어요 面白いです

⑦ 없어요 ありません / いません

⑧ 읽어요 読みます

⑨ 알아요 知っています

⑩ 먹어요 食べます

⑪ 괜찮아요 大丈夫です

⑫ 전화 〈電話〉電話

尊敬「…でいらっしゃいますか?」：非尊敬「…です」

「お兄さんです / ですか」のような〈体言＋です / ですか〉には，**-예요 / 이에요**，その尊敬形「お兄さんでいらっしゃいます / でいらっしゃいますか？」など〈体言＋でいらっしゃいます / でいらっしゃいますか？〉は **-세요 / 이세요**を用います．これらは**指定詞**という品詞に属する **-이다** [ida イダ]（…である）という単語の変化形です．文末を下げると平叙文，上げると疑問文になります：

DL 44

	尊敬	非尊敬
母音で終わる単語に	-세요 セヨ …でいらっしゃいます(か)	-예요 エヨ …です(か)
子音で終わる単語に	-이세요 イセヨ …でいらっしゃいます(か)	-이에요 イエヨ …です(か)

DL 45

6-4 聞いて，書き，対話をしてみよう．

❶ 저, 지유 씨 오빠세요?
—네, 지유 오빠예요.

あの，チユさん(女性)のお兄さんでいらっしゃいますか？
——はい，チユの兄です．
＊저 あのう（間投詞），前置き表現．오빠（女性から見た）お兄さん

❷ 저, 석우 씨 형님이세요?
—네, 석우 형이에요.

あの，ソグさん（男性）のお兄さまでいらっしゃいますか？
—はい，ソグの兄です．＊형〈兄〉（男性から見た）お兄さん．형님は尊敬語

❸ 혹시 한국 분이세요?
—아뇨. 아니에요. 저는 일본 사람이에요.

ひょっとして，韓国のかたでいらっしゃいますか？
—いいえ．違います．私は日本人です．＊-는［助詞］…は（母音で終わる単語に）

❹ 혹시 재일 교포세요?
—네. 교포예요. 부모님이 한국 분이세요.

ひょっとして，在日（僑胞）のかたでいらっしゃいますか？＊재일 교포〈在日僑胞〉
—はい，僑胞です．両親が韓国人です．＊부모님〈父母-〉父母（尊敬語）

❺ 혹시 우리 대학 교수님이세요?
—아뇨, 저는 이 학교 유학생이에요.

ひょっとして，私たちの大学の先生でいらっしゃいますか？
＊대학〈大學〉大学．교수님〈教授-〉教授．大学の先生
—いいえ，私はこの学校の留学生です．＊이 この．유학생〈留學生〉留学生

超重要助詞

これまで見た助詞を，まとめておきましょう．つく単語が母音で終わるか，子音で終わるかによって，形を使い分けます→ 116ページ

DL 46

	…は	…が	…を
母音で終わる単語に	-는 [nɯn ヌン]	-가 [ga ガ]	-를 [rɯl ルル]
子音で終わる単語に	-은 [ɯn ウン]	-이 [i イ]	-을 [ɯl ウル]

DL 47

6-5 **リアルで高度な会話に挑戦してみよう．もう全部読めるはず！少しずつ聞いて，新出単語も意味を想像しながら．書いて，対話をしてみよう．** 日本語訳は75ページ

❶ 지유 저, 혹시 내일 시간이 있으세요?

유미 네, 있어요. 그런데 왜요?

지유 내일 우리가 파티를 해요. 같이 어때요?

유미 와, 파티를 하세요? 네, 좋아요!

＊같이 [副詞] 一緒に．[가티 kat^{h}i カティ] ではなく，[가치 katʃ^{h}i カチ] と発音．

❶ 지유 저, 혹시 내일 시간이 있으세요?

日本語訳 ▶

유미 네, 있어요. 그런데 왜요?

日本語訳 ▶

지유 내일 우리가 파티를 해요. 같이 어때요?

日本語訳 ▶

유미 와, 파티를 하세요? 네, 좋아요!

日本語訳 ▶

❷ 마키 지금 수업이 있으세요?

유미 아뇨, 수업은 없어요.
그런데 동아리가 있어요.

마키 네? "동아리"가 뭐예요?

유미 아, "동아리"는 서클이에요.
보통 서클을 동아리라고 해요.

마키 아, 동아리요?
그럼 유미 씨는 무슨 동아리를 하세요?

유미 저는 한국어 동아리를 해요.
마키 씨도 같이 어때요?

마키 네? 저도 괜찮아요? 네, 네, 좋아요!

＊서클 サークル．［서클 sɔk^{h}ɯl］～［써클 ˀsɔk^{h}ɯl］
＊보통 ［pot^{h}oŋ］〈普通〉［名詞・副詞］普通
＊그럼 ［kɯrɔm］では．じゃあ
＊무슨 ［musɯn］何の
＊－도 ［助詞］…も

❷ 마키 지금 수업이 있으세요?

日本語訳 ▶ ______________________

유미 아뇨, 수업은 없어요.
그런데 동아리가 있어요.

日本語訳 ▶ ______________________

마키 네? "동아리"가 뭐예요?

日本語訳 ▶ ______________________

유미 아, "동아리"는 서클이에요.
보통 서클을 동아리라고 해요.

日本語訳 ▶ ______________________

마키 아, 동아리요?
그럼 유미 씨는 무슨 동아리를 하세요?

日本語訳 ▶ ______________________

유미 저는 한국어 동아리를 해요.
마키 씨도 같이 어때요?

日本語訳 ▶ ______________________

____

마키 네? 저도 괜찮아요? 네, 네, 좋아요!

日本語訳 ▶ ______________________

第6課 問題の解答と解説

DL 38

6-1 （問題は62ページ）

❶학생　［ 학쌩 hak^{ʔ}sɛŋ ］〈學生〉学生

＊ㄱ＋ㅅの結合ではㄱ [k] が破裂する音なので大きな [k] で示す。❸も同様

❷잡지　［ 잡찌 tʃa^{pʔ}tʃi ］〈雜誌〉雑誌

＊［チャ・プ・チ］のように3音節で発音しないこと．ㅂの後ろに母音を入れてはいけない

❸혹시　［ 혹씨 hok^{ʔ}ʃi ］〈或是〉もしや．ひょっとして

＊혹시の語頭の母音ㅗは丸く尖らせる母音であることに注意．［헉씨 hɔk^{ʔ}ʃi] などは不可．「或是」は「或イハ 是レ」の意

❹책방　［ 책빵 tʃ^{h}ɛ^{kʔ}paŋ ］〈冊房〉本屋

＊책は「本」．방は「部屋」．노래（歌）＋방（部屋）→ 노래방（カラオケボックス）なら방は濁って [norɛbaŋ ノレバん] と発音

❺있다　［ 읻따 i^{tʔ}ta ］［存在詞］ある．いる

＊있다は「ある」「いる」両方を表せる．用言の一種である存在詞と呼ばれる品詞に属する．語末の－다は辞書に登録される見出し語の形＝辞書形を造る語尾．このままの形で「ある！」「いる！」という感嘆を表すこともできる．用言は語尾をいろいろに取り替えて形を変化させる

❻있죠?　［ 읻쪄 i^{tʔ}tʃɔ ］ある／いるでしょう？

＊文末の－죠？はイントネーションを上げて，聞き手に確認，同意を求める「…（ね，そう）でしょう？」の意を表す語尾．文字通りには丸く尖らせる母音で [tʃo] となるはずだが，普通，[tʃɔ] のように開いて発音される

❼맞다　［ 맏따 ma^{tʔ}ta ］合っている

＊語末の－다は辞書形を造る語尾．このままの形で「そうだ！」「合ってる！」「正しい！」という感嘆の意も表せる

DL 42

6-2 （問題は64ページ）

例 시간

[ʃigan]〈時間〉時間

시	간	이

［시가니 [ʃigani]］時間が

❶ 수업

[suɔ^{p}]〈授業〉授業

수	업	이

[수어비 [suɔbi]] 授業が

❷ 책

[t∫^{h}ɛ^{k}]〈冊〉本

책	이

[채기 [t∫^{h}ɛgi]] 本が

❸ 비빔밥

[pibim$^{?}$pa^{p}] ビビンバ

비	빔	밥	이

[비빔빠비 [pibim$^{?}$pabi]] ビビンパが

❹ 사람

[saram] 人

사	람	이

[사라미 [sarami]] 人が

❺ 방

[paŋ]〈房〉部屋

방	이

[방이 [paŋi]] 部屋が

❻ 말

[mal] ことば

말	이

＊ 終声 [l] が初声化すると，[r] で発音される→ 65ページㄹの発音

[마리 [mari]] ことばが

❼ 앞

[a^{p}] 前

앞	이

[아피 [ap^{h}i]] 前が

❽ 옷

[옫 o^{t}] 服

옷	이

[오시 [o∫i]] 服が

❾ 인터넷

[인터넫 int^{h}ɔne^{t}] インターネット

인	터	넷	이

[인터네시 [int^{h}ɔne∫i]] インターネットが

DL 43

6-3 （問題は66ページ）

❶ 한국어 [hangugɔ] 〈韓國語〉韓国語

❷ 일본어 [ilbonɔ] 〈日本語〉日本語

❸ 일요일 [irjoil] 〈日曜日〉日曜日

＊同じ일でも，1 文字目のㄹは初声化するので [r] で，3 文字目のㄹは終声なので，[l] で発音される．もしこの後ろに助詞이 [i]（…が）が結合し，일요일이（日曜日が）となると，すべてㄹは初声の [r] となって，[irjoiri] と発音

❹ 있어요 [iˀsɔjɔ] あります / います

＊있어요は「（ものやことがらなどが）あります」と「（人や動物などが）います」の双方を表せる．品詞は存在詞という用言の一種に属する

❺ 맛있어요 [maʃiˀsɔjɔ] おいしいです

＊맛は「味」．맛있어요は文字通りには「味あります」で，「おいしいです」の意．このように「○○＋있어요」の形をした単語は全て存在詞

❻ 재미있어요 [tʃɛmiiˀsɔjɔ] 面白いです

＊재미は「面白味」．맛있어요は文字通りには「面白味あります」で，「面白いです」の意．知的な面白さやユーモアなどの面白さにも用いられる．存在詞

❼ 없어요 [ɔpˀsɔjɔ] ありません / いません

＊없など，終声字母の位置に 2 つの字母が書かれるものは，ここでのように次に母音で始まる音節が結合すると，2 つの字母のうち右側の字母の音が初声化し，[업써여 ɔpˀsɔjɔ オㇷ゚ソヨ] と，2 つの字母共に発音される．[써] と濃音化するのは，[업] というつまる音の次にあるから．なお，없죠？[업쪄 ɔpˀtʃɔ オㇷ゚チョ]（ないでしょう？ / いないでしょう？）のように，子音で始まる音節が後続する場合は，ㅄのうち，[ㅂ] だけが発音される→ 61 ページ

＊없어요も存在詞．「재미없어요」なら「面白くありません」

❽ 읽어요 [ilgɔjɔ] 読みます

⑨ 알아요 [arajɔ] 知っています

⑩ 먹어요 [mɔgɔjɔ] 食べます

⑪ 괜찮아요 [kwɛntʃ^{h}anajɔ] 大丈夫です

＊찮の終声字母の位置にはㄶの 2 字母が書かれているが，終声字母のㅎは母音が後続すると発音されない→ 60 ページ．従って [괜차나여] と発音

⑫ 전화 [tʃ^{h}ɔn(h)wa] 〈電話〉電話

＊전화のような位置，つまり語中の有声音間にあるㅎは，弱化したり脱落したりする→ 42，44 ページ．脱落すると [전와] → [저놔 tʃ^{h}ɔnwa チョヌァ] のように，ㄴが初声化する

DL 47

6-5（問題は69ページ）

❶ 지유 저, 혹시 내일 시간이 있으세요?

チユ あの，ひょっとして明日時間がおありですか？

＊내일〈來日〉明日．＊있으세요？おありですか（尊敬語）

유미 네, 있어요. 그런데 왜요?

ユミ はい，ありますよ．ところで，どうしてですか？

＊그런데［接続詞］ところで

지유 내일 우리가 파티를 해요. 같이 어때요?

チユ 明日私たちがパーティをするんですよ．

一緒にどうですか？

유미 와, 파티를 하세요? 네, 좋아요!

ユミ わあ，パーティをなさるんですか．

はい，いいですよ！

＊같이［副詞］一緒に．［가티 kat^{h}i カティ］ではなく，［가치 katʃ^{h}i カチ］と発音

❷ 마키 지금 수업이 있으세요?

マキ 今，授業がおありですか？

유미 아뇨, 수업은 없어요.
그런데 동아리가 있어요.

ユミ いいえ, 授業はありません．でも「トンアリ」があります.

마키 네? "동아리"가 뭐예요?

マキ え？「トンアリ」って何ですか？

유미 아, "동아리"는 서클이에요.
보통 서클을 동아리라고 해요.

ユミ ああ,「トンアリ」って，サークルですよ.
普通，サークルをトンアリって言うんですよ.

마키 아, 동아리요?
그럼 유미 씨는 무슨 동아리를 하세요?

マキ なるほど，トンアリですか.
ではユミさんは何のサークルをなさってるんですか？

유미 저는 한국어 동아리를 해요.
마키 씨도 같이 어때요?

ユミ 私は韓国語のサークルをやってます.
マキさんも一緒にどうですか？

마키 네? 저도 괜찮아요? 네, 네, 좋아요!

マキ え？ 私も構いませんか．ええ，ええ，いいですよ！

＊서클 サークル．標準語発音は서클 [sɔk^{h}ɯl] だが，多く語頭を濃音化させ，써클 [$^?$sɔk^{h}ɯl] と発音．ㅅで始まる外来語でしばしばこの現象が起きる

＊보통 [pot^{h}oŋ]〈普通〉［名詞・副詞］普通

＊－라고 [ragɔ] …と（言う）→次のページで詳しく学ぶ

＊그럼 [kɯrɔm] では．じゃあ

＊무슨 [musɯn] 何の．後ろに修飾される体言を伴って用い，それ自体は形が変化しないこうした単語を，冠形詞と呼ぶ．日本語の連体詞に相当

ワンポイント

DL 48

◇「…－가 /－이 뭐예요 ?」

直訳すると，「…が何ですか？」だが，「…って何ですか？」の意．ことばの　意味や名称などを尋ねるのに，用いられる

→ 51 ページ：

네？“음식”이 뭐예요?

— “음식”은 “食べ物”예요．

え？「ウムシク」って何ですか？

—— “음식［飲食］” は “食べ物” のことですよ．

저，그게 뭐예요?

— 아 이거요? 카메라예요.

あの，それは何ですか？

—— あ，これですか？ カメラですよ．

＊그게は直訳すると「それが」．그것（それ）＋－이（…が）の短縮形で，話しことばで多用される

ワンポイント

「何々が＋どうする」「何々が＋どんなだ」と言うときの，「何々が」にあたる文の成分を主語，「どうする」「どんなだ」にあたる文の成分を述語と呼ぶ．韓国語で文の述語になる品詞には，動詞，存在詞，形容詞，指定詞の４つがある．この４つをまとめて用言と言う

第7課

「イ・ユミと申します」

自己紹介．韓国語について尋ねる

〈…と申します〉〈…と言います〉

「…と申します」のように，自己紹介や人を紹介する表現です．「…と」のところには，「**유미**」[jumi] のように母音で終わる名には **－라고** [rago] を，「**예진**」[jedʒin] のように子音で終わる名には **－이라고** [irago] を用います．子音で終わる名では「**예진이라고**」[jedʒinirago イェジニラゴ] のように終声の初声化が起きます：

…と	申します・言います
母音で終わる単語＋라고	합니다 [hamnida] / 해요 [hɛjɔ]
子音で終わる単語＋이라고	

합니다は [ha^{p}nida ハプニダ] ではなく，[hamnida ハムニダ] と発音します

→ 口音の鼻音化 117ページ

DL 49

합니다《ハムニダ》体《たい》は改まった、해요《ヘヨ》体《たい》は親しみのある丁寧な文体

합니다と**해요**は文体，表現のスタイルが異なるだけで，意味は同じです．いずれも丁寧な形ですが，前者がフォーマルで改まった**합니다（ハムニダ）体**という文体，後者は親しみのある**해요（ヘヨ）体**という文体です．

저는 이 유미라고　합니다.　私はイ・ユミと申します．
저는 김 예진이라고 해요.　私はキム・イェジンと言います．

DL 50

指定詞 －이다の해요体は －예요 /－ 이에요 (…です；…ですか？)

自己紹介は既に学んだ，指定詞 **－이다** [ida] を使って言うこともできます．この **－예요** [ejɔ]/**－ 이에요** [iejɔ] は指定詞 **－이다** [ida] の**해요**体の形です．母音＋ **－예요**，子音＋ **－이에요**でしたね．再度，復習しておきましょう：

저는 이 유미예요.	私はイ・ユミです．
저는 김 예진이에요.	私はキム・イェジンです．

文の述語になる用言が，**해요**体の形をとるとき，文末のイントネーションによって平叙形だけでなく，疑問形や勧誘形や命令形としても使われます：

저 사람은 이 유미 씨예요? ↗

あの人はイ・ユミさんですか？ [指定詞．非尊敬形]

＊ 저 [冠形詞]（遠くの対象を指さして）あの

저 분은 이 유미 씨세요? ↗

あの方はイ・ユミさんでいらっしゃいますか？ [指定詞．尊敬形]

서클을 "동아리"라고 해요? ↗

サークルを「トンアリ」って言いますか？ [動詞．疑問形]

우리 한국어 공부 같이 해요. ↘

私たち，韓国語の勉強，一緒にしましょ．[動詞．勧誘形]

괜찮아요? ↗ **—네, 괜찮아요.** ↘

大丈夫ですか？ [形容詞．疑問形]

—はい，大丈夫です．[形容詞．平叙形]

DL 51

指定詞 – 이다の합니다体は – 입니다(…です), – 입니까?(…ですか?)

– 예요 /– 이에요は指定詞 – **이다** [ida] の**해요**体の形ですが，これを**합니다**体で言うと，平叙形は – **입니다** [imnida イムニダ] という形になります：

저는 이 유미입니다.	私はイ・ユミです.
저는 김 예진입니다.	私はキム・イェジンです.

疑問形は - **입니까** [imniˀka イムニカ] という形になります：

유미 씨입니까?	ユミさんですか？
유미 씨 오빠입니까?	ユミさんのお兄さんですか？

DL 52

指定詞 – 이다の – 이 – の脱落

– **입니다** [imnida] が母音で終わる単語につくとき，– **이** – は脱落して，– **ㅂ니다** [mnida] となることができます：

유미입니다	[jumiimnida ユミイムニダ]	ユミです
유밉니다 →	[jumimnida ユミムニダ]	ユミです

このように，一般に話しことばでは指定詞 – **이다** [ida] の - **이** – はしばしば脱落します．小説の会話文や SNS などでは – **이** – が脱落して，前の単語に食い込んで書かれる表記が，たくさん現れます．見た目に幻惑されないように！：

저입니다	접니다	[tʃɔmnida チョムニダ] 私です
오빠입니다	오빱니다	[o^{ʔ}pamnida オッパムニダ] お兄さんです
누나입니까?	누납니까?	[nunamni^{ʔ}ka ヌナムニカ] お姉さんですか?

＊実は母音で終わる単語につく해요体の－예요も，－이에요から－이－が脱落した形．これを－에요ではなく，－예요と書くのは単なる表記上の約束．－예요と書いているのに，発音が［jejɔ イェヨ］ではなく，［ejɔ エヨ］であることからも，－이－［i］が脱落した形であることが解る：
－이에요から → －이－が脱落 → －에요となるが → －예요と書く約束

DL 53

7-1 指定詞の합니다体を用いて，言ってみよう．

解答は86ページ

❶ 今，韓国語の授業です．

❷ あの人はユミさんのお姉さんです．

❸ あの生徒はうちの学校の生徒ですか？

❹「こんばんは」は「안녕하세요？」ですか？

❺ 私たちのホテルはどこですか？ ＊ホテル 호텔

韓国語について韓国語で尋ねる：これでもう怖いものなし！

その言語の母語話者ではなく，学習者にとって決定的に重要な表現として，言語について尋ねる表現があります．これまで学んだ単語などで，もういろいろ尋ねることができます．

DL 54

7-2 聴いて，発音し，意味も考えてみよう．

解答は87ページ

❶ 이거 한국어로 뭐라고 합니까?

＊ －로［助詞］…で（手段．方法）．…へ（方向）

日本語訳 ▶

❷ 아, 그거요? 그건 “핸드폰”이라고 해요.

＊ －요［丁寧化のマーカー］…ですか．…です（ことばを丁寧にする．助詞や母音で終わる単語の後ろにつく．品詞は助詞）

＊그건 それは　＊핸드폰 携帯電話．「スマートフォン」は스마트폰

日本語訳 ▶

❸ “야마”는 한국어로 뭐라고 합니까?
—“산”이라고 해요.

＊산〈山〉山

日本語訳 ▶

ことばを尋ね，発音についても尋ねてみよう．こんなことまで言えると，楽しい！：

④ “무스메”는 한국어로 뭐예요?

日本語訳 ▸

⑤ “딸”이에요. －“딸”이요? 딸. 발음 괜찮아요?

＊딸 娘. ＊－이요 [丁寧化のマーカー] …ですか. …です (子音で終わる単語につく).
＊발음〈發音〉発音. ＊괜찮아요？大丈夫ですか

日本語訳 ▸

77ページのワンポイントで見た,「…って何ですか？」も改めて押さえておこう：

⑥ 네? “주부”가 뭐예요? －“슈후(主婦)”예요.

日本語訳 ▸

66ページの発音練習で見た「읽어요」[ilgɔjɔ イルゴヨ]（読みます. 読みますか）があれば, ハングルや한자 [hanˀtʃa ハンチャ]（漢字）の読み方の確認もできる：

⑦ 저, 이 한자 뭐라고 읽어요? －“윤 동주”요.

日本語訳 ▸

⑧ “윤 동주”요? 아, 이게 그 시인 윤 동주예요?

＊이게 これが→「それが」は그게. 77 ページ. ＊시인〈詩人〉詩人. ＊윤 동주〈尹東柱〉詩人の名

日本語訳 ▸

DL 55

7-3 日本語をハングルで表記することに挑戦しながら，韓国語を学ぶ市民サークルに集った人々の，自己紹介を訳してみよう. これまでの学習でもうこんなにリアルに言える!

日本語のハングル表記の方法は114ページ　解答は88ページ

❶ こんにちは！ 私は徳川まゆかと申します．横浜大学の学生です．K-pop が趣味です．

＊ K-pop 케이팝 [k^{h}eip^{h}a^{p} ケイパプ]　＊趣味 취미〈趣味〉[tʃ^{h}wimi]

❷ あ，私ですか．私は鈴木しのぶと申します．主婦です．韓国ドラマが好きです．韓国語の勉強は初めてです．（会えて）嬉しいです．

＊ドラマ 드라마 [tɯrama トゥラマ]　＊…が好きです －를/을 좋아해요

＊（会えて）嬉しいです 반갑습니다 [반갑씀니다 pangapˀsɯmnida]　＊初めて 처음 [tʃ^{h}ɔɯm]

❸ 皆さん，（会えて）嬉しいです．近藤健一郎です．会社員です．趣味は読書です．家は川崎です．よろしくお願い申し上げます．

＊皆さん 여러분[jɔrɔbun]　＊会社員 회사원〈會社員〉[hwesawɔn].　＊読書 독서〈讀書〉[tokˀsɔ]

＊よろしくお願い申し上げます．잘 부탁드립니다 [잘 부탁뜨림니다 tʃal put^{h}a^{k}ˀtɯrimnida]

❹ 金雅美（김 아미）と申します．在日韓国人です．
夫は日本人です．韓国音楽が好きです．

＊在日韓国人 재일 교포〈在日僑胞〉[tʃɛilgjop^{h}o]．재일 한국인〈在日韓國人〉[tʃɛil (h)angugin]
＊日本人 일본 사람〈日本 -〉[ilbon$^{?}$saram]．일본인〈日本人〉[ilbonin]
＊夫 남편〈男便〉[namp^{h}jɔn]　＊音楽 음악〈音樂〉[ɯma^{k}]

❺ えー，田中サキです．高校生です．今，高３です．母は中国人です．
韓国語が趣味です．家はこの近所です．
以上です．ありがとうございます．

＊えー 어 [ɔ]［間投詞］　＊高校生 고등학생〈高等學生〉[kodɯŋ(h)ak$^{?}$sɛŋ]
＊高３ 고 삼〈高三〉[kosam] →数詞：108 ページ
＊中国人 중국 사람〈中國 -〉[tʃuŋguk$^{?}$saram]　＊近所 근처〈近處〉[kɯntʃ^{h}ɔ]
＊以上 이상〈以上〉[isaŋ]　＊ありがとうございます 감사합니다〈感謝 -〉[kamsa(h)amnida]

第7課 問題の解答と解説

DL 53

7-1（問題は81ページ）

❶ 今，韓国語の授業です.

지금, 한국어 수업입니다.

＊「韓国語の授業」の「の」は不要.「A の B」は基本的に「A B」と言う

❷ あの人はユミさんのお姉さんです.

저 사람은 유미 씨 언니입니다 / 언닙니다.

＊「あの人」が遠くに見える対象であれば「저 사람」，話の現場にない「この間のあの人」「例のあの人」の意なら「그 사람」

＊「ユミさん」が男性であれば，その「お姉さん」は누나

❸ あの生徒はうちの学校の生徒ですか？

저 학생은 우리 학교 학생입니까?

＊「あの生徒」が遠くに見える対象であれば「저」を，話の現場にない「あの生徒」なら「그」を用いる

＊「生徒」も「学生」も区別せずに학생と言う

＊「うちの学校の生徒」の「の」は2つとも不要.「A の B」は基本的に「A B」

❹「こんばんは」は「안녕하세요？」ですか？

"곤반와（こんばんは）"는 "안녕하세요?"입니까?

＊「おはようございます」「こんにちは」「こんばんは」「お元気ですか」のいずれも안녕하세요？でよい.

＊ 日本語の「こんばんは」を韓国の外来語表記法によって書くと，「ん」は「ㄴ」で書く決まりなので，「곤반와」となり，それをそのまま発音すると，[konbanwa コンバヌァ] となる. 日本語で一般に発音される音に近づけてハングルで表記すると，[곰방와 kombaŋwa コムバんワ] ほどになる. こんなところにも日本語の「ん」と韓国語の終声ㅁ，ㄴ，ㅇとの違いが見えて，面白い！

❺ 私たちのホテルはどこですか？

우리 호텔이 / 호텔은 어디입니까?/ 어딥니까?

＊ 一般に，疑問詞を用いて「…はどこですか」「…は何ですか」「…はいつですか」「…は誰ですか」などと尋ねる疑問詞疑問文の場合は，助詞は「…が」にあたる -가 /- 이を用いるのが普通.「あの人たちのホテルはあそこで，では私たちのホテルはどこですか？」のように，他のものと対照させながら尋ねる際には，「…は」にあたる -는 /- 은が好んで用いられる.「…は」は -는 /- 은，「…が」は -가 /- 이と，日本語と韓国語で概ね対応しているけれども，こうした疑問詞疑問文では現れ方が異なっている点が，面白い

DL 54 **7-2**（問題は82ページ）

❶ 이거 한국어로 뭐라고 합니까?

[igɔ hangugɔro mwɔrago hamni^{ʔ}ka]

これ，韓国語で何と言いますか？

＊手段や方法の「…で」を表す助詞 - 로は，母音や終声のㄹで終わる単語につく．ㄹ以外の子音で終わる単語につくときは，「이 책으로 공부해요」（この本で勉強します）のように，- 으로という形になる→ 116 ページ

❷ 아, 그거요? 그건 “핸드폰”이라고 해요.

[a kɯgɔjɔ] [kɯgɔn hɛndɯp^{h}onirago hɛjɔ]

あ，それですか．それは「ヘンドゥポン：hand＋phɵne」（携帯）って言います．

＊「hand」[hænd] のように，英語などからの外来語で，原語で広い母音の [æ][ɛ] は，韓国の外来語表記法では広い「エ」の「ㅐ」で受け入れる決まりとなっている．ソウルことばではもちろんこの「ㅐ」は実際には狭い「エ」[e ㅔ] で発音される→ 18 ページ．日本語とのこうした違いも楽しい：

DL 56

カン	can	캔 [k^{h}ɛn ケン]
ダンス	dance	댄스 [tɛnsɯ テンス]
バンド	band	밴드 [pɛndɯ ペンドゥ]
アクション	action	액션 [ɛk^{ʔ}ʃɔn エクション]
マクドナルド	McDonald’s	맥도날드 [mɛ^{kʔ}tonaldɯ メクトナルドゥ]

❸ “야마”는 한국어로 뭐라고 합니까?

[jamanɯn hangugɔro mwɔrago hamni^{ʔ}ka]

「山」は韓国語で何て言いますか？

— “산”이라고 해요.

[sanirago hɛjɔ]

「산」って言います．

❹ “무스메”는 한국어로 뭐예요?

[musɯmenɯn hangugɔro mwɔejo]

「娘」は韓国語で何ですか？

❺ “딸”이에요. —“딸”이요? 딸. 발음 괜찮아요?

[ˀtariejɔ] [ˀtarijɔ] [ˀtal] [parɯm kwentʃʰanajɔ]

「딸」ですよ. ——「딸」ですか？「딸」. 発音, いいですか？

❻ 네? “주부”가 뭐예요? —“슈후(主婦)”예요 .

[ne] [tʃubuga mwɔejɔ] [ʃuhu-ejɔ]

え？「チュブ」って何ですか？ ——「主婦」ですよ.

＊네？末尾を上げて発音. 聞き返しに用いる.

＊「…って何ですか」の「…って」も助詞「…が」と同じ－가 /－이でよい→ 77 ページ

＊「일본어로 “슈후” 예요」(日本語で「主婦」です) などとも答えられる

❼ 저, 이 한자 뭐라고 읽어요? —“윤 동주”요.

[tʃɔ i hanˀtʃa mwɔrago ilgɔjɔ] [jundoŋdʒujɔ]

あの, この漢字, 何て読みますか？ ——「ユン・ドンジュ」ですね.

＊읽어요？(読みますか) と動詞で尋ねられたら, “윤 동주” 라고 읽어요. (ユン・ドンジュと読みます) と動詞を使って答える. 「ユン・ドンジュ」という答だけを言いたければ, 指定詞で “윤 동주” 예요とせずに, 丁寧化のマーカー－요 /－이요を使って, “윤 동주” 요とする

❽ “윤 동주”요? 아, 이게 그 시인 윤 동주예요?

[jundoŋdʒujɔ] [a ige kɯ ʃiin jundoŋdʒuejɔ]

「ユン・ドンジュ」ですか? あ, これがあの詩人・尹東柱ですか?

＊이게 これが.

＊윤 동주〈尹東柱〉詩人. 1917-1945 年. 植民地時代, 治安維持法で日本の官憲に逮捕され, 27 歳で福岡刑務所において獄死. 1948 年に詩集『空と風と星と詩』(하늘과 바람과 별과 시) が出版された. 広く愛される詩人として知られる

DL 55

7-3 (問題は84ページ)

❶ 안녕하세요? 저는 도쿠가와 마유카라고 합니다 / 해요.

요코하마대학 학생이에요 / 학생입니다.

케이팝이 취미예요 / 취미입니다.

こんにちは！ 私は徳川まゆかと申します.

안녕하세요? 저는 도쿠가와 마유카라고 합니다 / 해요.

＊「とくがわ」の「く」を구と書くと，[togugawa トグガワ] と有声音化して，濁ってしまう．「まゆか」の「か」も同じで，가にすると，[majuga マユガ] と濁ってしまう．日本語のこのような語中の清音は，ハングルの外来語表記法では激音で書く決まりである．語頭の清音は平音で書くきまりなので，「토쿠가와」ではなく，「도쿠가와」

横浜大学の学生です．

요코하마대학 학생이에요 / 학생입니다.

＊「横浜大学の学生」の「の」は不要．「A の B」は基本的に「A B」と言う

K-pop が趣味です．

케이팝이 취미예요 / 취미입니다.

＊K-pop 케이팝 [k^{h}eip^{h}a^{p}]．「K-pop が」「케이팝이」のところは，通常は「K-pop 이」「K-POP 이」のようにローマ字で書かれる．「K-pop 이」などとローマ字で書かれても，発音は終声の初声化により [k^{h}eip^{h}abi ケイパビ]．外来語 pop の発音は [p^{h}op ポㇷ゚] や日本語式の [ポップ] ではなく，[p^{h}a^{p} パㇷ゚]．外来語の日本語との違いに注目しよう：

DL 57

カップ　cup　컵 [k^{h}ɔ^{p} コㇷ゚]
トップ　top　톱 [t^{h}o^{p} トㇷ゚]　しばしば탑 [t^{h}a^{p} タㇷ゚] とも
チップ　tip　팁 [t^{h}i^{p} ティㇷ゚]

❷ 아, 저요? 저는 스즈키 시노부라고 합니다 / 해요.

주부예요 / 주부입니다 / 주붑니다. 한국 드라마를 좋아해요.

한국어 공부는 처음이에요 / 처음입니다. 반갑습니다.

あ，私ですか．

아, 저요?

＊ここでのように，あてられたときなどの「私？」「저？」を単に丁寧にして「私ですか？」とするには，指定詞の－예요？を用いて「저예요？」とするのではなく，普通は丁寧化のマーカー－요 [jo]/－이요 [ijo] を用い，「저요？」とする．「私であるのか，どうか」を問題にしているときには，「저예요？」と指定詞を用いる．このように，丁寧化のマーカーは単にことばを丁寧にするだけ，指定詞は〈それがそれであると言い定める〉，〈同定する〉働きをする：

DL 58

저, (当番などが) 내일은 저예요?
－ 네, 유미 씨예요.
あの，明日は私ですか？
―― はい，ユミさんですよ．［指定詞］

私は鈴木しのぶと申します.

저는 스즈키 시노부라고 합니다 / 해요.

＊ハングルの外来語表記法で日本語を表記する場合,「ウ」の発音は円く尖らせるㅜ [u] を用い,「ス」「ズ」の場合だけ平らなㅡ [ɯ] を用いて「스」「즈」とする. 従って「스즈키」. 発音は [sɯdʒɯk^{h}i スジュキ]

主婦です. 韓国ドラマが好きです.

주부예요 / 주부입니다 / 주붑니다. 한국 드라마를 좋아해요.

＊ドラマ 드라마 韓国語では語頭に有声音の [b][d][g][dʒ] は立たないので, [tɯrama トゥラマ] となる.「-를/을 좋아해요」で「…を好みます」

韓国語の勉強は初めてです.

한국어 공부는 처음이에요 / 처음입니다.

＊「韓国語の勉強」の「の」は不要.「A の B」は基本的に「A B」

(会えて) 嬉しいです.

반갑습니다.

＊(会えて) 嬉しいです 반갑습니다 [반갑씁니다 pangap$^{?}$sɯmnida] 出会えたとき, 思いがけぬものに巡り会ったときの「嬉しいです」. この해요体は반가워요となるが, やや目下に語る感じになってしまうので, 初対面では避けるのがよい　＊初めて 처음 [tʃ^{h}ɔɯm]

③ 여러분, 반갑습니다. 곤도 겐이치로예요. 회사원이에요. 취미는 독서예요. 집은 / 집이 가와사키예요. 잘 부탁드립니다.

◆指定詞の「…です」を해요体で：

皆さん, (会えて) 嬉しいです. 近藤健一郎です.

여러분, 반갑습니다. 곤도 겐이치로예요.

＊皆さん 여러분 [jɔrɔbun]. 여러は「いろいろな」「多くの」, 분は尊敬語「かた」

＊韓国語では語頭に有声音の [b][d][g][dʒ] は立たないので,「近藤 こんどう」も「権藤 ごんどう」も同じく곤도 [kondo コンド]. 日本語では「どう」と表記する決まりの [ドー] のような長母音 [oː オー] は, ハングルでは表記しない決まり. あえて表記すると,「곤도오」[kondoo コンドオ] となるが, こうは書かない

＊「健一郎 けんいちろう」「겐이치로」を韓国語式に発音すると, 終声の初声化によって [kenitʃ^{h}iro ケニチロ] となる. 신오쿠보 (新大久保：しんおおくぼ) が [ʃinok^{h}ubo シノクボ] となるのも同様

会社員です.

회사원이에요.

＊会社員 회사원〈會社員〉[hwesawɔn]．ちなみに，「社員」は사원 [sawɔn]，「会員」は회원 [hwewɔn]，「会社」は회사 [hwesa]，そして「社会」は사회 [sa(h)we]！ 一を聞いて十，百を知る，これが漢字語の嬉しいところ！

趣味は読書です.

취미는 독서예요.

＊読書 독서〈読書〉[tok$^{?}$sɔ]

家は川崎です.

집은 / 집이 가와사키예요.

＊집이とすると，「家が」で，日本語だとやや不自然だが，韓国語では可

よろしくお願い申し上げます.

잘 부탁드립니다.

＊よろしくお願い申し上げます．「잘 부탁드립니다」［잘 부탁뜨립니다 tʃal put^{h}a$^{k?}$turimnida］

◈指定詞の「…です」を**합니다**体で：

여러분, 반갑습니다. 곤도 겐이치로입니다.
회사원입니다. 취미는 독서입니다.
집은 / 집이 가와사키입니다. 잘 부탁드립니다.

＊독서입니다［tɔk$^{?}$sɔimnida トクソイムニダ］の指定詞の－이－を脱落させて（→80ページ），독섭니다［tɔk$^{?}$sɔmnida トクソムニダ］とするのも，もちろんあり
＊해요体と합니다体を混ぜて言うことも，普通に行われる

❹ 김 아미라고 합니다 / 해요. 재일 교포입니다 / 재일 교포예요.

남편은 일본 사람입니다 / 일본 사람이에요. 한국 음악을 좋아해요.

金雅美（김 아미）と申します． 在日韓国人です.

김 아미라고 합니다 / 해요. 재일 교포입니다 / 재일 교포예요.

＊在日韓国人 재일 교포〈在日僑胞〉[tʃɛilgjop^{h}o]．재일 한국인〈在日韓國人〉[tʃɛir(h)angugin]

夫は日本人です.

남편은 일본 사람입니다 / 일본 사람이에요.

＊夫 남편〈男便〉[namp^{h}jɔn].「ご主人」のような尊敬語は「남편 되시는 분」[namp^{h}jɔndweʃinɯnbun ナムピョンデシヌンブン]（直訳：夫におなりのかた）.

＊「妻」を，改まって言うには，처〈妻〉[tʃ^{h}ɔ]. ややくだけて집사람 [tʃip$^{?}$saram]（直訳：家の人）. 記述的な単語に아내 [anɛ].「夫人」は부인〈夫人〉[puin]. 尊敬語「奥さま」は사모님〈師母 -〉[samonim] あるいは「부인 되시는 분」[puindweʃinɯnbun プインデシヌンブン]（直訳：夫人におなりのかた）

＊日本人 일본 사람〈日本 -〉 [ilbon$^{?}$saram]. 일본인〈日本人〉[ilbonin]

韓国音楽が好きです.

한국 음악을 좋아해요.

＊音楽 음악〈音樂〉[ɯma^{k}]

⑤ 어… 다나카 사키예요. 고등학생이에요. 지금 고 삼이에요.

엄마는 / 어머니는 / 어머님은 중국 사람이에요. 한국어가 취미예요. 집은 이 근처예요.

이상이에요. 감사합니다.

◇「…です」を**해요**体で：

えー，田中サキです．高校生です.

어… 다나카 사키예요. 고등학생이에요.

＊えーっ．あのー 어 [ɔ] [間投詞]. 言いよどむときなどに用いられる

今，高 3 です.

지금 고 삼이에요.

＊高 3 고 삼〈高三〉[kosam] →数詞：108 ページ

母は中国人です.

엄마는 / 어머니는 / 어머님은 중국 사람이에요.

* 엄마 [ɔmma] 母さん．ママ．ややくだけた柔らかい単語．幼児語としても用いられる．改まった場では避ける
* 어머니（お母さん）の尊敬語は어머님 [ɔmnim] お母さま．韓国語では自分の親など，身内についても尊敬語を用いうる点が，日本語と異なっている．어머님は「姑」（しゅうとめ）を指しても多く用いる．아버지（お父さん）の尊敬語は아버님 [abɔnim]

DL 59

* 中国人　중국 사람〈中國 -〉[tʃuŋgukˀsaram]
* 米国人　미국 사람〈美國 -〉[migukˀsaram]
* 英国人　영국 사람〈英國 -〉[jɔŋgukˀsaram]

韓国語が趣味です．家はこの近所です.

한국어가 취미예요. 집은 이 근처예요.

* 近所 근처〈近處〉[kɯntʃʰɔ]

以上です．ありがとうございます.

이상이에요. 감사합니다.

* 以上 이상〈以上〉[isaŋ]
* 「ありがとうございます」は합니다体で감사합니다〈感謝 -〉[kamsa(h)amnida]．このようにスピーチの終わりなどにも用いる．해요体の감사해요は目上にはあまり用いない.

◈「…です」を**합니다**体で：

어… 다나카 사키입니다.
고등학생입니다.
지금 고 삼입니다.
어머님은 / 어머니는 중국 사람입니다.
한국어가 취미입니다.
집은 이 근처입니다.
이상입니다. 감사합니다.

* 母音で終わる単語취미，근처では，指定詞の－이－を脱落させて（80 ページ），취밉니다 [tʃʰwimimnida チュィミムニダ] や，근첩니다 [kɯntʃʰɔmnida クンチョムニダ] ともできる

第8課 「明日，韓国に行きます——わあ，韓国にですか」

丁寧化のマーカーといろいろな助詞

〈丁寧化のマーカー〉-요 /-이요〈…です〉〈…ですか〉

日本語で例えば「いつ行きますか」と尋ねられて，「明日」と答えると，目下の人を相手に言うのでなければ，ちょっとぶっきらぼうになってしまいますね．こうした場合，日本語では目上には「…です」をつけて，「明日です」のように言ったりします．あるいはあいづちで「ほんと？」と言うのを，丁寧にするためには，「ほんとですか？」と言いますね．これらの「…です／ですか」はことばを丁寧にする印，マーカーになっているわけです．

こうした**丁寧化のマーカー**が韓国語にもあり，実際の会話では非常にたくさん用いられます．「明日です」なら**내일이요**，「ほんとですか？」なら**정말이요？**のように，これまでも実は何度も出て来ました．**왜？**「どうして？」では失礼なので，**왜요？**「どうしてですか？」とするなども，この丁寧化のマーカーです：

DL 60

<table>
<tr><td rowspan="2">…です
…ですか</td><td>– 요 [jɔ]</td><td>助詞の後ろに，
また母音で終わる
単語につく</td><td>제가요 [tʃegajɔ チェガヨ] 私がです
저요? [tʃɔjɔ チョヨ] 私ですか？</td></tr>
<tr><td>– 이요 [ijɔ]</td><td>子音で終わる
単語につく</td><td>내일이요 [nɛirijɔ ネイリヨ] 明日です
책이요? [tʃ^{h}ɛgijɔ チェギヨ] 本ですか？</td></tr>
</table>

＊ – 요 /– 이요の末尾は，文字通りには丸く尖らせる [jo] だが，通常，[jɔ] のように開いて発音される
＊ 제가 私が

DL 61 子音で終わる助詞につくときは，〈n の挿入〉という現象が起きて，－요 [jɔ] は [njɔ ニョ] と発音されます．

저는 [tʃɔnɯn チョヌン] 私は ＋ **－요** [jɔ] です

➡ **저는요？** [저는녀 tʃɔnɯnnjɔ チョヌンニョ]
私は？（どうなるんですか）

❶ 한국에 언제 가세요?

[hanguge ɔndʒe kasejɔ]

韓国にいつ行かれるのですか?

－ 내일이요. **－ 네? 내일이요?**

[nɛirijɔ] [ne] [nɛirijɔ]

──明日です． ──ええっ？ 明日ですか？

＊－에 …に ＊언제 いつ ＊가세요？ お行きになりますか？ 가다（行く）の尊敬形の해요体

＊こうした場合の「明日です」「明日ですか？」を，指定詞を用いて「내일이에요.」「내일이에요？」とするのは，文法的な誤りではないが，やや不自然．指定詞はどこまでも「これは辞書ですか？」のように，「…であるのかどうか」を問題にするものなので，ことばを単に丁寧にするだけなら，丁寧化のマーカーと覚えておけばよい．日本語では例えば「辞書かどうか」を問題にして「辞書ですか？」というときも，単に「辞書？」を丁寧にするときも，どちらも「…です」「…ですか」を用いるけれども，韓国語では指定詞と丁寧化のマーカーで使い分けているわけである

丁寧化のマーカーには次のような面白い使い方もあります：

❷ 저, 제가요, 사실은요, 여자친구가 없어요.

[tʃɔ tʃegajɔ saʃirɯnnjɔ jɔdʒatʃʰingugajɔ ɔpˀsɔjɔ]

あの，私がですね，実はですね，ガールフレンドがいないんですよ．

＊제가 私が．저（私）＋－가（…が）は제가となる ＊사실은〈事實 -〉実は

－ 네. 그래서요?

[ne] [kɯrɛsɔjɔ]

はあ．それで（何だっていうんですか）？

＊그래서［接続詞］それで．それから

＊「그래서？」（それで？）だけではあまりにもぶっきらぼうで失礼になってしまうので，丁寧化のマーカーをつけ，「그래서요？」としている

助詞〈…に〉〈…から〉〈…で〉〈…も〉〈…と〉

「…は」という助詞は－는/－은，「…が」は－가/－이，「…を」は－를/－을でした→ 6課69ページ．さらに助詞を知ると，表現がぐんと広がります．

DL 62

〈物事・場所・時間＋に〉－에

「…に」にあたる助詞に－에 [e] があります．〈物事・場所・時間＋－에〉という形で用い，〈人・動物＋…に〉には用いません：

…に	－에 [e]	物事・場所・時間を表す単語につく	파티에 [p^{h}at^{h}ie パティエ] パーティに 서울에 [sɔure ソウレ] ソウルに 아침에 [atʃ^{h}ime アチメ] 朝に

❸ **저 내일 한국에 가요.**

[tʃɔ nɛil hanguge kajɔ]

私，明日韓国に行きます．

－진짜요!

[tʃin^{ʔ}tʃajɔ]

――ほんとですか！

＊「今日」오늘，「明日」〈來日〉내일，「明後日」모레は名詞だが，このままの形で「今日に」「明日に」といった副詞的な意味にも用いられる

＊가요 行きます

＊진짜〈眞-〉（一般に）本物．（ややくだけた会話で）ほんと．진짜요の-요は丁寧化のマーカー．진짜요？は「本当か嘘か」を尋ねているのではなく，感嘆的なあいづち

❹ **저, 화장실이 어디 있어요?**

[tʃɔ hwadʒaŋʃiri ɔdi i^{ʔ}sɔjɔ]

あの，トイレはどこにありますか？

－저쪽에 있어요.

[tʃɔ^{ʔ}tʃoge i^{ʔ}sɔjɔ]

――（指さして）あっちにあります．

＊화장실〈化粧室〉トイレ

＊저쪽 あっち．あっちのほう

DL 63

〈場＋で〉〈場＋から〉− 에서

〈場＋…で〉〈場＋…から〉には同じ − **에서** [esɔ] という助詞を用います．物事が行われる場や，場所の起点を表します：

…で …から	− 에서 [esɔ]	場を表す 単語につく	파티에서 [p^{h}at^{h}iesɔ パティエソ] パーティで．パーティから 서울에서 [sɔuresɔ ソウレソ] ソウルで．ソウルから

❺ 오늘은 공원에서 운동을 해요.

[onɯrɯn koŋwɔnesɔ undoŋɯl hɛjɔ]

今日は公園で運動をします．

− 아 , 그 공원에서요 ?

[a kɯ koŋwɔnesɔjɔ]

――あ，あの公園でですか？

＊오늘 今日　＊공원〈公園〉公園　＊운동〈運動〉運動

❻ 내일 서울에서 친구가 와요.

[nɛil sɔuresɔ tʃ^{h}inguga wajɔ]

明日，ソウルから友達が来ます．

− 와, 서울에서요?

[wa sɔuresɔjɔ]

――わあ，ソウルからですか？

＊와요 来ます　＊서울（ソウル）＋ −에서（から）＋ − 요?（ですか？）．「서울에서?」（ソウルから？）とぶっきらぼうに言わず，柔らかく丁寧にするために，助詞の後ろに丁寧化のマーカー − 요を用いている

DL 64

〈場所の代名詞＋で〉〈場所の代名詞＋から〉− 서

여기（ここ），**거기**（そこ．話の現場にない：あそこ），**저기**（遠くに見える：あそこ），**어디**（どこ）という場所の代名詞には − **에서**のほか，− **서**という形が多用されます：

여기서 [jɔgisɔ]	거기서 [kɔgisɔ]	저기서 [tʃɔgisɔ]	어디서 [ɔdisɔ]
ここで ここから	そこで そこから	あそこで あそこから	どこで どこから

❼ 오늘 식사는 어디서 해요?

[onɯl ʃik^{ʔ}sanɯn ɔdisɔ hɛjɔ]

今日，食事はどこでしますか？

– 오늘은 여기서 해요.

[onɯrɯn jɔgisɔ hɛjɔ]

――今日はここでしましょ．

DL 65

〈…も〉– 도

「…も」は -**도**です．発音は [do] ですが，直前の単語が終声 [^{p}][^{t}][^{k}] というつまる音の場合は [^{ʔ}to] と濃音化します：

…も	– 도	終声 [^{p}][^{t}][^{k}] につく	[^{ʔ}to]	책도 [tʃ^{h}ɛ^{kʔ}to チェクト] 本も
		それ以外につく	[do]	저도 [tʃɔdo チョド] 私も

❽ 거기에 한국어 책도 있어요?

[kɔgie hangugɔ tʃ^{h}ɛ^{kʔ}to i^{ʔ}sɔjɔ]

そこに韓国語の本もありますか？

– 네, 한국어 책도 많아요.

[ne hangugɔ tʃ^{h}ɛ^{kʔ}to manajɔ]

はい，韓国語の本も多いですよ（＝たくさんありますよ）．

❾ 마키 씨도 같이 공부해요. 어때요?

[mak^{h}i^{ʔ}ʃido katʃ^{h}i koŋbu(h)ɛjɔ] [ɔ^{ʔ}tɛjɔ]

マキさんも一緒に勉強しましょ．どうですか？

– 와, 저도요?

[wa tʃɔdojɔ]～[tʃɔdujɔ]

わ，私もですか？

DL 66

〈…と〉-하고

「AとB」と並列させて言うときの「…と」には，-하고という助詞が話しことばで多用されます．単独での発音は [hago] ですが，直前の単語が終声 [^{p}][^{t}][^{k}] というつまる音で終わる場合は，책+하고 → 책하고［채카고］のように，終声の音が激音となって初声化されます．

終声 [^{p}][^{t}][^{k}] 以外につくと，저+하고 → 저하고［저아고］のように，[hago] の [h] が弱化し，ほとんど聞こえなくなってしまいます：

…と	-하고	終声 [^{p}][^{t}][^{k}] につく	激音化	책하고 [tʃ^{h}ɛk^{h}ago チェカゴ] 本と
		それ以外につく	[h] の弱化	저하고 [tʃɔ(h)ago チョアゴ] 私と

激音化は助詞-하고の場合だけでなく，次のような条件では必ず起こります．文字の表記上の変化はありません：

つまる音の終声 [^{p}][^{t}][^{k}] +初声ㅎ [h] ▶ 激音の初声 [p^h][t^h][k^h]

급 [kɯ^p] + 행 [hɛŋ] → 급행 [kɯp^{h}ɛŋ 그팽]
〈急行〉急行

못 [mo^t] + 해요 [hɛjɔ] → 못해요 [mot^{h}ɛjɔ 모태여]
できません

⑩ **여기 비빔밥 하나하고 갈비탕 주세요.**
[jɔgi pibimpap^{h}ana(h)ago kalbit^{h}aŋ tʃusejɔ]
ここ，ピビンパ1つとカルビタンをください．
＊비빔밥（ピビンパ）+하나（1つ）が続けて発音され，激音化が起こっている
＊하나（1つ）+ -하고（…と）では [h] の弱化が見える
＊주세요 ください

- 비빔밥하고 갈비탕이요. 네.
[pibimpap^{h}ago kalbit^{h}aŋijɔ] [ne]
ピビンパとカルビタンですね．かしこまりました．
＊비빔밥（ピビンパ）+하고（…と）で激音化
＊국밥（クッパ）+丁寧化のマーカー-이요．子音で終わる単語には-이요を用いる

DL 67

8-1 作文をし，会話をしてみよう．指定以外は해요体の文体で．

解答は102ページ

❶ ［サキ］あの，もしかして韓国の方でいらっしゃいますか？
［ユミ］はい，そうですが？ 韓国の方ですか？
［サキ］いえ，日本人です．学校で韓国語を勉強してるんです．
［ユミ］わあ，そうですか！ 韓国語，お上手ですね！
［サキ］いえいえ．ここは初めてでいらっしゃいますか？
［ユミ］はい．初めてです．イ・ユミです．
よろしくお願いします［합니다体で］．
［サキ］私は徳川サキです．

＊そうですが 그런데요？ [kɯrɔndejɔ]

［　　］＿＿＿＿＿＿＿＿＿＿＿＿＿＿＿＿

［　　］＿＿＿＿＿＿＿＿＿＿＿＿＿＿＿＿

［　　］＿＿＿＿＿＿＿＿＿＿＿＿＿＿＿＿

［　　］＿＿＿＿＿＿＿＿＿＿＿＿＿＿＿＿

［　　］＿＿＿＿＿＿＿＿＿＿＿＿＿＿＿＿

［　　］＿＿＿＿＿＿＿＿＿＿＿＿＿＿＿＿

＿＿＿＿＿＿＿＿＿＿＿＿＿＿＿＿

［　　］＿＿＿＿＿＿＿＿＿＿＿＿＿＿＿＿

❷ ［サキ］ 私，明日韓国に行くんですよ．

［ユミ］ わあ，韓国のどこに行くんですか？ ソウルですか？

［サキ］ いいえ，釜山です．

［ユミ］ ああ，釜山ですか．いいですね！

釜山では何するんですか？

［サキ］ 私は，主にショッピングをします．

［ユミ］ あ，ショッピングですか．

じゃ，もしかして，化粧品も買います？

［サキ］ ええ，私は韓国の化粧品が好きなんですよ！

＊行きます 가요 [kajɔ]　＊釜山 부산〈釜山〉[pusan]

＊いいですね！ 좋네요！[tʃonnejɔ チョンネヨ] → 口音の鼻音化 117ページ

＊主に 주로〈主 -〉[tʃuro]　＊ショッピング 쇼핑 [ʃop^{h}iŋ ショピん]　＊買いますか 사요 [sajɔ]

＊化粧品 화장품〈化粧品〉[hwadʒaŋp^{h}um]

［　　　］

［　　　］

［　　　］

［　　　］

［　　　］

［　　　］

［　　　］

第8課 問題の解答と解説

DL 67

8-1 (問題は100ページ)

❶

[사키] 저, 혹시 한국 분이세요?

[유미] 네, 그런데요? 한국 분이세요?

[사키] 아뇨, 일본 사람이에요.

학교에서 한국어를 공부해요.

[유미] 와, 그래요? 한국어 잘하시네요!

[사키] 아니에요. 여기는 처음이세요?

[유미] 네, 처음이에요. 이 유미예요.

잘 부탁드립니다.

[사키] 저는 도쿠가와 사키예요.

[サキ] あの，もしかして韓国の方でいらっしゃいますか？

[ユミ] はい，そうですが？ 韓国の方ですか？

[サキ] いえ，日本人です．学校で韓国語を勉強してるんです．

[ユミ] わあ，そうですか！ 韓国語，お上手ですね！

[サキ] いえいえ．ここは初めてでいらっしゃいますか？

[ユミ] はい．初めてです．イ・ユミです．

よろしくお願いします [합니다体で]．

[サキ] 私は徳川サキです．

[サキ] あの，もしかして韓国の方でいらっしゃいますか？

[사키] 저, 혹시 한국 분이세요?

＊初対面の大人相手には基本的に非尊敬形の「한국 사람이에요？」（韓国人ですか？）より「한국 분이세요？」と，尊敬形がよい

[ユミ] はい，そうですが？ 韓国の方ですか？

[유미] 네, 그런데요? 한국 분이세요?

＊「そうですが」그런데요？ [kurɔndejɔ] は文末をやや上げ気味に発音．그래요（そうです）と言い切らずに，やや婉曲的に余韻を残す表現

＊「네 , 한국 사람이에요 .」（はい，韓国人です）と答えてもよい

[サキ] いえ，日本人です．学校で韓国語を勉強してるんです．

[사키] 아뇨, 일본 사람이에요.

학교에서 한국어를 공부해요.

＊「한국어를 공부해요」は「韓国語を勉強します」「韓国語を勉強しています」の両方の意を表せる

[ユミ] わあ，そうですか！ 韓国語，お上手ですね！

[유미] 와, 그래요? 한국어 잘하시네요!

＊お上手ですね！ 잘하시네요！[tʃaraʃinejɔ チャラシネヨ]

[サキ] いえいえ．ここは初めてでいらっしゃいますか？

[사키] 아니에요. 여기는 처음이세요?

[ユミ] はい．初めてです．イ・ユミです．
よろしくお願いします [합니다体で].

[유미] 네, 처음이에요. 이 유미예요.

잘 부탁드립니다.

[サキ] 私は徳川サキです．

[사키] 저는 도쿠가와 사키예요.

❷

[사키] 저, 내일 한국에 가요.

[유미] 와, 한국 어디 가요? 서울이요?

[사키] 아뇨, 부산이요.

[유미] 아, 부산이요. 좋네요!

부산에서는 뭐 해요?

[사키] 저는 주로 쇼핑을 해요.

[유미] 아, 쇼핑이요?

그럼, 혹시 화장품도 사요?

[사키] 네, 저는 한국 화장품을 좋아해요!

[サキ] 私，明日韓国に行くんですよ．

[ユミ] わあ，韓国のどこに行くんですか？ ソウルですか？

[サキ] いいえ，釜山です．

[ユミ] ああ，釜山ですか．いいですね！

釜山では何するんですか？

[サキ] 私は主にショッピングをします．

[ユミ] あ，ショッピングですか．

じゃ，もしかして，化粧品も買います？

[サキ] ええ，私は韓国の化粧品が好きなんですよ！

[サキ] 私，明日韓国に行くんですよ．

[사키] 저, 내일 한국에 가요.

[ユミ] わあ，韓国のどこに行くんですか？ ソウルですか？

[유미] 와, 한국 어디 가요? 서울이요?

＊「韓国のどこ」は「한국 어디」．「の」は不要．「ソウルですか？」は丁寧化のマーカーを用いて「서울이요？」．「ソウル＋に＋ですか？」「서울＋－에＋－요？」とも言える

[サキ] いいえ，釜山です．

[사키] 아뇨, 부산이요.

＊釜山 부산〈釜山〉[pusan]

[ユミ] ああ，釜山ですか．いいですね！ 釜山では何するんですか？

[유미] 아, 부산이요. 좋네요! 부산에서는 뭐 해요?

＊いいですね！좋네요！[tʃonnejɔ チョンネヨ] →口音の鼻音化 32 ページ

＊「釜山＋で＋は」は「부산＋－에서＋－는」

[サキ] 私は主にショッピングをします．

[사키] 저는 주로 쇼핑을 해요.

＊主に 주로〈主 -〉[tʃuro]．ショッピング 쇼핑 [ʃop^{h}iŋ]

[ユミ] あ，ショッピングですか．じゃ、もしかして，化粧品も買います？

[유미] 아, 쇼핑이요? 그럼, 혹시 화장품도 사요?

＊では，じゃあ 그럼 [kɯrɔm]　＊化粧品 화장품〈化粧品〉[hwadʒaŋp^{h}um]

＊買いますか 사요 [sajɔ]

[サキ] ええ，私は韓国の化粧品が好きなんですよ！

[사키] 네, 저는 한국 화장품을 좋아해요!

これからのために

さあ, 8 課までの学習がとにかく一通りは終わりました. よくぞここまで! 実は, わずか 128 ページの入門書にしては, 到達レベルは極めて実践的で高度な水準になっています. 達成の歓びを確認しましょう. え, まだまだ完璧ではない? 大丈夫. では次はどうするか? 方略は次の 2 つを行うことです:

❶『無敵の étude シリーズ 2 初級編』(今後刊行予定) へ, がんがん進む
❷ この『無敵の étude シリーズ 1 超入門編』をぼろぼろになるまで繰り返す

❶について.「入門が完璧になってから次へ進む」というのは, 実直なようで, 今一つ非効率です. 学びの過程は「完璧」である必要など全くないのです. 半分くらい, そこそこできていたら, もう凄い! 勢いが大切です. ぜひ次の段階へ. どんな偉人も 2 回や 3 回で新しいことばなど覚えられないのです. 悠然と構えて, 薄塗りを何度も重ねましょう. 次の『2 初級編』では入門を易しく復習しながら学習を進められるようになっています. 今の段階でもし本書の 5, 6 割もできていたら, もう素晴らしい! 大勝利です. がんがん進みましょう.

❷について. ことばを学ぶには反復が不可欠です. 一度学んだことは, 骨までしゃぶる! ゆえに②が必要です. 学んだ全ての単語, 表現が, 自分の中で自動化されて, 考えなくても出て来るくらいを目指しましょう.

興味のある人の名は覚えても, 興味のない人の名は覚えないように, 関心のないものは記憶できません. ただ機械的に繰り返すのではなく, この意味は, 発音は, 表記は, 用法は…と, 常にことばに関心を抱いて反復しましょう.

そして新しいことにもどんどん着手し, 関心を拡げましょう. 例えば, もう韓国ドラマなどを見ても，聴いたことのあることばが，いくつも出て来ます．本書はそうした実践的な造りになっています．

発音の訓練は肉体の訓練です．頭で解っただけではだめです．音を聞いて，観察しながら，聴きまくる．自分勝手に音を作らず，音源のモデルにならって，丁寧に実践するのがこつです．モデルについて発音するシャドーイングを繰り返しましょう．そうすれば必ず上達します．「日本語式韓国語発音でもいい」などと，最初から自己暗示にかけず，楽しく学んでゆきましょう．

韓国語を知的に学ぶ，母語である日本語と照らし合わせながら学ぶ，ことばについて自ら問いを立てて考える，そうした知的な歓びを満喫しましょう．せっかくの学び，楽しまなくては！ 韓国語という言語，ハングルという文字体系はそうした知的な歓びをかきたててくれる，一生の貴い友となってくれるでしょう．この点では，自著でほんとうに恐縮ですが，次の本を：

『韓国語をいかに学ぶか——日本語話者のために』平凡社
『ハングルの誕生——音から文字を創る』平凡社
『日本語とハングル』文藝春秋

言語を身につける戦略は，究極的には次のように定式化できます：

関心を注ぎ，反復して実践せよ

韓国語は必ずできるようになります．そしてこの貴い学びは，きっと皆さんの人生に豊かなものをもたらしてくれることでしょう．
皆さんのご健闘を心よりお祈りします！

便利帖

数詞
固有語数詞と漢字語数詞がある！

日本語には「ひとつ，ふたつ，みっつ…」という和語＝固有語の数詞があり，また「いち，に，さん…」という漢語＝漢字語の数詞があります．韓国語も同様に「**하나 , 둘 , 셋 …**」（ひとつ，ふたつ，みっつ…）という固有語と「**일 , 이 , 삼…**」（一，二，三…）という漢字語の数詞があり，使い分けます：

DL 68

	固有語		漢字語		
0			영	〈零〉	[jɔŋ ヨん]
1	하나 (한)	[hana ハナ] [han ハン]	일	〈一〉	[il イル]
2	둘 (두)	[tul トゥル] [tu トゥ]	이	〈二〉	[i イ]
3	셋 (세)	[se^{t} セッ] [se セ]	삼	〈三〉	[sam サム]
4	넷 (네)	[ne^{t} ネッ] [ne ネ]	사	〈四〉	[sa サ]
5	다섯	[tasɔ^{t} タソッ]	오	〈五〉	[o オ]
6	여섯	[jɔsɔ^{t} ヨソッ]	육	〈六〉	[ju^{k} ユク]
7	일곱	[ilgo^{p} イルゴプ]	칠	〈七〉	[tʃ^{h}il チル]
8	여덟	[jɔdɔl ヨドル]	팔	〈八〉	[p^{h}al パル]
9	아홉	[a(h)o^{p} アオプ]	구	〈九〉	[ku ク]
10	열	[jɔl ヨル]	십	〈十〉	[ʃi^{p} シプ]

＊ある対象を「ひとつ，ふたつ」と数えるには，「하나 , 둘 , 셋 , 넷 , 다섯…」と固有語数詞を使う

＊固有語の () 内は連体形の形．後ろに体言を伴って用いられる：
한 개 〈-個〉一個．ひとつ．　두 사람 二人．　세 분 お三方

＊固有語には 20，30，…90 まで数詞が存在する：
20 스물 (스무), 30 서른 , 40 마흔 , 50 쉰 , 60 예순 , 70 일흔 , 80 여든 , 90 아흔

＊固有語も漢字語も十進法で数える．固有語でも 99 まで数えられる：
11 열 하나 , 19 열 아홉 , 21 스물 하나 , 22 스물 둘 , 99 아흔 아홉

11 십일 , 19 십구 , 21 이십일 , 22 이십이 , 99 구십구

＊漢字語の百以上は次の通り：
백〈百〉[pɛ^{k} ペㇰ], 천〈千〉[tʃ^{h}ɔn チョン], 만〈萬〉[man マン], 억〈億〉[ɔ^{k} オㇰ].
11,234 만천 이백삼십사 開票速報などのように数字を厳密に数えるとき以外は,「一万一千」と言わず,「万千」と言う

＊電話番号などでは「ゼロ」には「공」〈空〉を用いる

時間

固有語数詞＋시〈時〉, 漢字語数詞＋분〈分〉!

時刻は**〈固有語数詞＋시, 漢字語数詞＋분〉**という形で表します. 固有語数詞のところは, 連体形がある数詞は連体形を用います.「何時」には「いくつの」の意の数詞「**몇**」[mjɔ^{t} ミョッ]と依存名詞「**시**」〈時〉を用い,「**몇 시**」[mjɔ^{ʔ}ʃi ミョッシ]とします：

DL 69

固有語数詞（連体形）＋시〈時〉, 漢字語数詞＋분〈分〉

한	**시**	**일**	**분**
1	**時**	**1**	**分**

한 시예요.	1時です.
두 시 십 분이에요.	2時10分です.
네 시 사십오 분이에요.	4時45分です.
열 두 시 십이 분이에요.	12時12分です.
다섯 시 반이에요.	5時半です. ＊반〈半〉
지금 몇 시예요?	今, 何時ですか?

＊ハングルでは「두 시 십 분」のように離して分かち書きをするが, 算用数字では「2 시 10 분」のように後ろの依存名詞とつけて書く. 次の「년」〈年〉も同様

年月日

漢字語数詞＋년〈年〉, 월〈月〉, 일〈日〉

年月日には漢字語数詞を使います．ただし，「六月」は「**유월**」[juwɔl ユウォル]，「十月」は「**시월**」[ʃiwɔl シウォル] となります．月の名はそれぞれ 1 つの名詞なので，「**일 월**」ではなく，「**일월**」〈一月〉とつけて書きます．

「何年」は「**몇 년**」〈- 年〉[mjɔnnjɔn ミョンニョン],「何月」は「**몇 월**」〈- 月〉[mjɔdwɔl ミョドォル] と発音に変化が起き，「何日」は「**며칠**」[mjɔtʃ^{h}il ミョチル] という別の名詞を用います：

DL 70

아버님은 몇 년생이세요?
お父さまは何年生まれでいらっしゃいますか？

천 구백 육십오 년생이세요.
1965年生まれで（いらっしゃいま）す．

생일이 몇 월 며칠이에요?
誕生日は何月何日ですか？

일월 삼 일이에요.
1月 3日です

電話番号

漢字語数詞を並べる

電話番号は日本語同様, 単独の漢字語数字を並べます．「0」には「**공**」〈空〉[koŋ コん] を用います．「090 の」などの「の」には助詞「**- 의**」[e] が使われます．「何番」は「**몇 번**」〈- 番〉[mjɔ^{tʔ}pɔn ミョッポン]:

DL 71

전화번호
〈電話番號〉[tʃɔn(h)wabɔno チョヌァボノ]

전화번호가 몇 번이에요?
電話番号は何番ですか？

공구공의 이삼사오의 육칠팔구예요.
090 の 2345 の 6789 です.

お金

漢字語数詞＋원

韓国の通貨単位は「**원**」[wɔn ウォン] です．記号は₩．日本の「円」は「**엔**」[en エン] と発音します．**원**も**엔**も次に母音で始まる単語が結合すると，終声の初声化（→63，118ページ）を起こします．「いくら」には「**얼마**」[ɔlma オㇽマ] という名詞を用います：

DL 72

이거 얼마예요?
[igɔ ɔlmaejɔ イゴ オㇽマエヨ]
これいくらですか？

만 천 원이에요.
[man tʃ^{h}ɔnwɔniejɔ マン チョヌォニエヨ]
1万 1000ウォンです.

이 만 오 천 삼백 원이에요.
[imanotʃ^{h}ɔn sambɛgwɔniejɔ イマノチョン サㇺベグォニエヨ]
2万 5300ウォンです.

이거 사만 엔이에요?
[igɔ samaneniejɔ イゴ サマネニエヨ]
これ 4万円ですか？

── 아니에요. 사만 원이예요.
[aniejɔ アニエヨ] [samanwɔniejɔ サマヌォニエヨ]
── 違いますよ．4万ウォンですよ

母音字母の辞書順配列

아	애	야	얘
[a ア]	[ɛ エ]	[ja ヤ]	[jɛ イェ]

어	에	여	예
[ɔ オ]	[e エ]	[jɔ ヨ]	[je イェ]

오	와	왜	외	요
[o オ]	[wa ワ]	[wɛ ウェ]	[we ウェ]	[jo ヨ]

우	워	웨	위	유
[u ウ]	[wɔ ウォ]	[we ウェ]	[wi ウィ]	[ju ユ]

으	의	이
[ɯ ウ]	[ɯi ウィ]*	[i イ]

*語頭でのみ [ɯi ウィ]. 「…の」の意味の助詞では [e エ]. その他は [i イ] → 23ページ

* 日本や大韓民国で刊行されているほとんどの辞書は，上の配列を採用している.

* 朝鮮民主主義人民共和国で刊行されている辞書は，下記の配列を採っている：
ㅏ, ㅑ, ㅓ, ㅕ, ㅗ, ㅛ, ㅜ, ㅠ, ㅡ, ㅣ, ㅐ, ㅒ, ㅔ, ㅖ, ㅚ, ㅟ, ㅢ, ㅘ, ㅝ, ㅙ, ㅞ

* 母音字母類のまとめ→ 27ページ

終声字母とその発音

終声字母 ＼ 終声の発音		[^{k}ク]	[nン]	[^{t}ツ]	[lル]	[mム]	[^{p}プ]	[ŋん]
平音・鼻音・流音の字母	ㄱ	낙						
	ㄴ		난					
	ㄷ			받				
	ㄹ				날			
	ㅁ					남		
	ㅂ						입	
	ㅅ			낫				
	ㅇ							강
	ㅈ			낮				
激音の字母	ㅊ			낯				
	ㅋ	엌						
	ㅌ			낱				
	ㅍ						잎	
	ㅎ			낳				
濃音の字母		밖		있				
2文字の終声字母 → 61ページ		삯	앉		덟	삶	밟	
		닭	않		핥		읊	
					잃		없	

＊ㅎの終声字母以外は，直後に母音で始まる音節が来ると，낙＋이→［나기］のように，発音上では**終声の初声化**を起こす→ 63，118ページ　ㅎ，ㄶ，ㅀのㅎは，母音で始まる音節の前では，発音されない．좋아요［조아요］，않아요［아나요］，잃어요［이러요］→ 60ページ

日本語をハングルで書いてみよう

ア行	ア 아	イ 이	ウ 우	エ 에	オ 오					
カ行	カ 가 카	キ 기 키	ク 구 쿠	ケ 게 케	コ 고 코	キャ 갸 캬		キュ 규 큐		キョ 교 쿄
サ行	サ 사	シ 시	ス 스	セ 세	ソ 소	シャ 샤		シュ 슈	シェ 셰	ショ 쇼
タ行	タ 다 타	チ 지 치	ツ 쓰	テ 데 테	ト 도 토	チャ 자 차		チュ 주 추	チェ 제 체	チョ 조 초
						ツァ 자 차			ツェ 제 체	ツォ 조 초
			テュ 듀 튜							
		ティ 디 티	トゥ 두 투							
ナ行	ナ 나	ニ 니	ヌ 누	ネ 네	ノ 노	ニャ 냐		ニュ 뉴	ニェ 녜	ニョ 뇨
ハ行	ハ 하	ヒ 히	フ 후	ヘ 헤	ホ 호	ヒャ 햐		ヒュ 휴	ヒェ 혜	ヒョ 효
						ファ 화	フィ 휘		フェ 훼	フォ 훠
マ行	マ 마	ミ 미	ム 무	メ 메	モ 모	ミャ 먀		ミュ 뮤	ミェ 몌	ミョ 묘
ヤ行	ヤ 야		ユ 유	イェ 예	ヨ 요					

ラ行	라《ラ》	리《リ》	루《ル》	레《レ》	로《ロ》	랴《リャ》		류《リュ》	례《リェ》	료《リョ》
ワ行	와《ワ》				오《ヲ》		위《ウィ》		웨《ウェ》	워《ウォ》
ガ行	가《ガ》	기《ギ》	구《グ》	게《ゲ》	고《ゴ》	갸《ギャ》		규《ギュ》		교《ギョ》
ザ行	자《ザ》	지《ジ》	즈《ズ》	제《ゼ》	조《ゾ》	자《ジャ》		주《ジュ》	제《ジェ》	조《ジョ》
ダ行	다《ダ》	지《ヂ》	즈《ヅ》	데《デ》	도《ド》			듀《デュ》		
							디《ディ》	두《ドゥ》		
バ行	바《バ》	비《ビ》	부《ブ》	베《ベ》	보《ボ》	뱌《ビャ》		뷰《ビュ》	볘《ビェ》	뵤《ビョ》
パ行	파《パ》	피《ピ》	푸《プ》	페《ペ》	포《ポ》	퍄《ピャ》		퓨《ピュ》	폐《ピェ》	표《ピョ》

大韓民国の外来語表記法による

가，카のように 2 つあるものは，次のように使い分ける

語頭の清音 → 平音ㄱ，ㄷ，ㅂ，ㅈ
語中の清音 → 激音ㅋ，ㅌ，ㅍ，ㅊ
濁音 → 平音ㄱ，ㄷ，ㅂ，ㅈ

かがく：가가쿠，ががく：가가쿠，すずき：스즈키

促音「ッ」はㅅ：はっとり：핫토리，ほっかいどう：홋카이도
「ン」はㄴ：けんじ：겐지，けんいちろう：겐이치로
長音は表記しない：かとう：가토，とうきょう：도쿄

超重要助詞

DL 73

	母音で終わる単語に	ㄹで終わる単語に	子音で終わる単語に
例	차 [tʃʰa チャ] 車	물 [mul ムル] 水	짐 [tʃim チム] 荷物

…は 主題限定 69ページ	－는 [nɯn ヌン] 차는 車は	－은 [ɯn ウン] 물은 水は	짐은 荷物は
…が 主体 69ページ	－가 [ga ガ] 차가 車が	－이 [i イ] 물이 水が	짐이 荷物が
…も 包括限定 98ページ	－도 [do ド] [ˀto ト] 차도 車も	물도 水も	짐도 荷物も
…を 対象 69ページ	－를 [rɯl ルル] 차를 車を	－을 [ɯl ウル] 물을 水を	짐을 荷物を
…に 帰着点 96ページ	－에 [e エ] 차에 車に	물에 水に	짐에 荷物に
…から / で 起点 / 場 97ページ	－에서 [esɔ エソ] 차에서 車から	물에서 水から	짐에서 荷物から
…と 並列 99ページ	－하고 [hago ハゴ] 차하고 車と	물하고 水と	짐하고 荷物と
…で / へ 手段·方法 / 方向 82ページ	－로 [ro ロ] [lo ロ] 차로 車で	물로 水で	－으로 [ɯro ウロ] 짐으로 荷物で
…の 所属 23, 110ページ	－의 [e エ] 차의 車の	물의 水の	짐의 荷物の

重要な発音の変化

ハングルでは，書かれたとおりに発音されない場合がある．そうした発音上の変化で大切なものには，次のようなものがある．

DL 74

有《ゆう》声《せい》音《おん》化《か》

平音《へいおん》ㅂ，ㄷ，ㅈ，ㄱは，［語中の有声音の間で］→有声音化する：澄《す》んだ音も語中で濁《にご》る → 34-35ページ

그거 [kɯgɔ] それ.　　부부 [pubu]〈夫婦〉夫婦

濃《のう》音《おん》化《か》

［口音《こうおん》の終声 [^{p}][^{t}][^{k}] の直後で］，平音ㅂ，ㄷ，ㅅ，ㅈ，ㄱは，→ 濃音化する → 62-63ページ

잡지 [잡찌 tʃa^{pʔ}tʃi]〈雜誌〉雑誌　　학교 [학꾜 ha^{kʔ}kjo]〈學校〉学校

口《こう》音《おん》の鼻《び》音《おん》化《か》

［鼻音の直前で］，口音の終声 [^{p}][^{t}][^{k}] は，→鼻音化し [m][n][ŋ] となる → 78 ページ

つまる音，つまり口音の終声 [^{p}]（文字の上では ㅂ，ㅍ，ㄼ，ㄿ，ㅄ）；[^{t}]（文字の上ではㄷ，ㅌ，ㅅ，ㅆ，ㅈ，ㅊ，ㅎ）；[^{k}]（文字の上ではㄱ，ㅋ，ㄲ，ㄳ，ㄺ）は，直後に鼻音 [m]，[n] が来ると，必ず鼻音化し，それぞれ [m]，[n]，[ŋ] となる．これは口音が，同じ位置で発音する鼻音に変化するもので，口音の鼻音化と呼ぶ．[^{p}] と [m]，[^{t}] と [n]，[^{k}] と [ŋ] はそれぞれ唇や舌は同じ位置，同じ形で発音していることを確認しよう．唇や舌は同じ形で，のどひこを下げて鼻に息を抜くと，口音が鼻音になるわけである．口音の鼻音化は音のレベルのみで起こり，文字の上では変化はない：

口音＋鼻音 [m]

[^{p}] + [m] ➡ [m] + [m]　　입문 [임문 immun] 入門

[^{k}] + [m] ➡ [ŋ] + [m]　　한국말 [한궁말 haŋguŋmal] 韓国語

口音＋鼻音 [n]

[^{p}] + [n] → [m] + [n]　　입니다 [임니다 imnida] …です

[^{t}] + [n] → [n] + [n]　　옛날 [옌날 jennal] 昔

終声《しゅうせい》の初声化《しょせいか》

終声は，[次の音節が母音で始まると]，→次の音節の初声となる →63ページ

終声の初声化が起きる際に，平音の終声は [p] → [b] のような有声音化も起こす：

밥 [pa^{p} パプ] + 이 [i イ] → 밥이 [바비 pabi パビ]

終声　　母音で始まる　　初声となった

ごはん　　+ …が　　ごはんが

집은 [지븐 tʃibɯn] 家は

옷이 [오시 oʃi] 服が

인터넷이 [인터네시 int^{h}ɔneʃi] インターネットが

꽃이 [꼬치 ^{ʔ}kotʃ^{h}i] 花が

한국어 [한구거 hangugɔ] 韓国語

激音化《げきおんか》

口音《こうおん》の終声 [^{p}][^{t}][^{k}] は，[直後にㅎ [h] が来ると] → 初声化し，激音化する →99ページ

つまる音の終声 [^{p}][^{t}][^{k}] **＋初声ㅎ** [h] → **激音の初声** [p^{h}][t^{h}][k^{h}]

급 [kɯ^{p}] ＋행 [hɛŋ]　　급행 [kɯp^{h}ɛŋ]〈急行〉急行

못 [mo^{t}] ＋해요 [hɛjɔ]　　못해요 [mot^{h}ɛjɔ]できません

[ㅎ[^{t}]で書かれる終声字母の次に来る]平音ㄷ[^{t}]，ㄱ[k]，ㅈ[tʃ]は→激音化する

ㅎ[^{t}]＋ㄷ[t]	[^{t}]＋[t^{h}]	（速い発音で）[t^{h}]
좋다	[좉타]	[조타 tʃot^{h}a] 良い
ㅎ[^{t}]＋ㄱ[k]	[^{t}]＋[k^{h}]	（速い発音で）[k^{h}]
좋게	[좉케]	[조케 tʃok^{h}e] 良く
ㅎ[^{t}]＋ㅈ[tʃ]	[^{t}]＋[tʃ^{h}i]	（速い発音で）[tʃ^{h}]
좋지	[좉치]	[조치 tʃotʃ^{h}i] いいよ

●ㅎ《ヒウッ》 [h] の弱化

ㅎ [h] は，［有声音に挟まれると］→ [h] の有声音である [ɦ] になったり，脱落したりする 99，75，42ページ

				本書の発音表記
사회	[saɦwe]	[sawe 사외]	社会	[sa(h)we]
전화	[tʃɔnɦwa]	[tʃɔnwa 저놔]	電話	[tʃɔn(h)wa]

●文末における狭いㅗ [o] の広母音化

［現在のソウルことばのほとんどの話し手の間では］，**해요**体を作る **-요**や，丁寧化のマーカー **-요**／**-이요**など文末における円唇の狭いㅛ [jo] は→非円唇母音かつ広い母音として発音される

本書では「좋아요」[tʃoajɔ] のごとく，[ɔ] を用いて示した

안녕하세요?	[annjɔŋ(h)asejɔ～annjɔŋ(h)asejo]	こんにちは.
있어요.	[i^{ʔ}sɔjɔ～is^{ʔ}sɔjo]	あります.
있죠?	[i(^{t})^{ʔ}tʃɔ～i^{tʔ}tʃo]	あるでしょ？
왜요?	[wɛjɔ～wɛjo]	どうしてですか？
저기요.	[tʃɔgijɔ～tʃɔgijo]	あの，すみません.

韓日索引【韓国語→日本語索引】

＊가나다順（反切表 p.8 と p.112 参照）の字母順に配列してあります．
＊用言は，原則として，「해요 します」のように，実際に使われる変化した形であげてあります．

日韓索引【日本語→韓国語索引】

さ

た

ことがら索引

「史上最強の韓国語練習帖 超入門編」ダウンロードサービスファイル一覧

ページ	内容・番号	解答ページ	音声ファイル番号	練習用pdf有り
8・9	反切表		01	
19	2-1		02	◎
20	母音 三角形		03	
21	2-2		04	◎
22	2-3		05	◎
23	2-4		06	◎
24	2-5	28	07	
24	2-6	28	08	
25	2-7		09	◎
26	2-8	28	10	
26	2-9	29	11	
32	3-1		12	◎
33	3-2	40	13	
33	3-3	40	14	
36	3-4		15	◎
36・37	3-5		16	◎
38	3-6	40・41	17	
39	3-7	41	18	
43	4-1		19	◎
43・44	4-2		20	◎
44・45	4-3	50	21	
45	4-4	51	22	
47	4-5		23	◎
47	4-6		24	◎
48	4-7		25	◎
48	4-8		26	◎
49	4-9	51	27	
52	4-9 解答 応用例		28	
52	4-9 解答 応用例		29	
53	ワンポイント		30	
55	5-1		31	
56	鼻音の終声		32	
57・58	5-2		33	◎
59・60	5-3		34	◎
60	終声規則		35	
61	5-4		36	◎
62	濃音化		37	
62・63	6-1	72	38	◎
63	合成におけ る濃音化		39	

ページ	内容・番号	解答ページ	音声ファイル番号	練習用pdf有り
64	終声の 初声化		40	
64	終声の 初声化		41	
64・65・ 66	6-2	72・73	42	◎
66・67	6-3	74・75	43	◎
67	尊敬： 非尊敬		44	
67・68	6-4		45	
69	超重要助詞		46	
69	6-5	75・76	47	
77	ワンポイント		48	
78	丁寧な文体		49	
79	指定詞 ヘヨ体		50	
80	指定詞 ハムニダ体		51	
80・81	指定詞 脱落		52	
81	7-1	86	53	
82・83	7-2	87・88	54	
84・85	7-3	88～93	55	
87	単語		56	
89	単語		57	
89	例文		58	
93	単語		59	
94	丁寧化の マーカー		60	
95	n の挿入		61	
96	物事・場所・ 時間＋に		62	
97	場＋で		63	
97・98	場所の 代名詞＋で		64	
98	…も		65	
99	…と		66	
100・101	8-1	102～ 105	67	
108	数詞		68	
109	時間		69	
110	年月日		70	
110・111	電話番号		71	
111	お金		72	
116	超重要助詞		73	
117	重要な 発音の変化		74	

著者

野間 秀樹（のま ひでき）

言語学者.

著書に『言語 この希望に満ちたもの』（北海道大学出版会．近刊），『言語存在論』（東京大学出版会），『ハングルの誕生』（平凡社．アジア・太平洋賞大賞）＝『한글의 탄생』（金珍娥・金奇延・朴守珍共訳．돌베개），『韓国語をいかに学ぶか―日本語話者のために』（平凡社），『日本語とハングル』（文藝春秋），『한국어 어휘와 문법의 상관구조』（韓国語 語彙と文法の相関構造．太学社．大韓民国学術院優秀学術図書），『新・至福の朝鮮語』（朝日出版社），『韓国語学習講座 凛 1 入門』（共著．大修館書店），『暮らしの単語集 韓国語』（ナツメ社）など.

編著書に『韓国・朝鮮の知を読む』（クオン．パピルス賞）＝『한국의 지（知）를 읽다』（김경원訳．위즈덤하우스），『韓国語教育論講座 1-4 巻』（くろしお出版）など.

大韓民国文化褒章．ハングル学会周時経《チュ・シギョン》学術賞.

東京外国語大学大学院教授，ソウル大学校韓国文化研究所特別研究員，国際教養大学客員教授，明治学院大学客員教授などを歴任．リュブリアナ国際版画ビエンナーレ，ブラッドフォード国際版画ビエンナーレ，現代日本美術展佳作賞など，美術家としての活動もある.

デザイン
宮崎萌美（マルプデザイン）

DTP
有限会社P.WORD

ナレーター
李忠均／李美賢／
崔英姫／水月優希

編集担当
澤幡明子（ナツメ出版企画）

音声ファイル制作
一般財団法人英語教育協議会（ELEC）

ナツメ社 Webサイト
https://www.natsume.co.jp
書籍の最新情報（正誤情報を含む）はナツメ社Webサイトをご覧ください。

史《し》上《じょう》最《さい》強《きょう》の韓《かん》国《こく》語《ご》練《れん》習《しゅう》帖《ちょう》【超《ちょう》入《にゅう》門《もん》編《へん》】

いきなり読《よ》める！ 書《か》ける！ 話《はな》せる!!

2021年2月1日　初版発行
2021年6月1日　第2刷発行

著　者　**野《の》間《ま》 秀《ひで》樹《き》**　　ⒸNoma Hideki, 2021

発行者　**田村正隆**

発行所　**株式会社ナツメ社**
東京都千代田区神田神保町1-52 ナツメ社ビル1F（〒101-0051）
電話 03-3291-1257（代表）　FAX 03-3291-5761
振替 00130-1-58661

制　作　**ナツメ出版企画株式会社**
東京都千代田区神田神保町1-52 ナツメ社ビル3F（〒101-0051）
電話 03-3295-3921（代表）

印刷所　**ラン印刷社**

ISBN978-4-8163-6944-5　　Printed in Japan

本書に関するお問い合わせは、書名・発行日・該当ページを明記の上、下記のいずれかの方法にてお送りください。電話でのお問い合わせはお受けしておりません。
・ナツメ社webサイトの問い合わせフォーム
https://www.natsume.co.jp/contact
・FAX（03-3291-1305）
・郵送（下記、ナツメ出版企画株式会社宛て）
なお、回答までに日にちをいただく場合があります。正誤のお問い合わせ以外の書籍内容に関する解説・個別の相談は行っておりません。あらかじめご了承ください。